D1201094

Dépôt légal - 1ᵉʳ trimestre 2023

Bibliothèque et Archives Nationales du Québec, 2023

Bibliothèque et Archives Canada, 2023

ISBN : 978-2-924715-42-0

www.presses-panafricaines.com

infos@presses-panafricaines.com

Une histoire taboue

Lisa Prudy

Une histoire taboue

Roman

PRESSES
PANAFRICAINES

Collection **Soleil d'Hiver**

Avertissement

Toute ressemblance avec des personnes ou des situations existantes ou ayant existé ne saurait être que fortuite.

Dédicace

À ma mère, Cécile Kungne Epse Lonla pour les nombreux sacrifices consentis afin de m'aider à poursuivre mes ambitions.

Remerciements

Mon époux Dr. Éric Wafo, mon Fan Numéro 1, pour les encouragements et l'amour inconditionnel

Mes enfants Veron, Urie, Eli pour l'inspiration et la force de me surpasser

Ma sœur, Mme Nicaise Kemmaze pour le soutien indéfectible

Mr Innocent Meutcheye pour les prières et les conseils

Mr Théo Ngongang-Ouandji pour les conseils et l'appui littéraire

Mr Joseph Mbarga pour l'appui littéraire

Mme Safiatou Ba pour l'appui littéraire

Mme Tanella Boni pour l'appui littéraire

Note de l'auteur

Pendant des décennies, j'ai lutté contre le traumatisme causé par une enfance passée dans l'extrême pauvreté et une série d'abus sexuels. L'âge adulte n'a pas rendu les choses plus faciles, au contraire, il a également été entaché de plus d'abus, de trahisons douloureuses et de déchirements. Durant tous ces moments sombres, de nombreuses personnes au bon cœur sont venues à mon secours, ont égayé mes journées et allumé un feu en moi qui a créé la femme brave et ambitieuse que je suis devenue. Au plus profond de mon cœur, j'ai ressenti le besoin de raconter mon histoire pour me soulager du traumatisme, inspirer et motiver ceux qui ont vécu des situations similaires et surtout, sensibiliser sur les sujets tabous qui tuent lentement et silencieusement les rêves et la vie de nombreuses personnes.

Pendant sept bonnes années, j'ai débattu avec moi-même et quelques amis proches pour déterminer si je devais écrire et publier ce livre ou non. Je craignais la mentalité de victim-shaming qui entoure souvent des histoires similaires. Je craignais de me faire humilier davantage. Après avoir parlé du livre à trois amis proches, le premier a estimé que ce serait inutile de le publier, car ce ne serait qu'un autre livre parmi tant d'autres sur les abus sexuels et une telle histoire c'est du déjà-vu. Les deux autres amis m'ont encouragé à publier le livre sans aucune hésitation, car ce sera une thérapie pour moi, une inspiration pour ceux qui ont vécu des expériences similaires et contribuera à sensibiliser sur les dangers de ces sujets tabous.

Même lorsque le livre a finalement été écrit, je n'étais toujours pas mentalement prête à le publier. Pour me mettre la pression, j'ai annoncé chaque année le jour de mon anniversaire pendant quatre ans que j'allais publier le livre et j'ai donné la possibilité à mes amis et abonnés de le précommander. Beaucoup d'entre eux se sont précipités pour précommander, mais je ne me sentais toujours pas prête à affronter le monde avec mon histoire. J'ai abandonné l'idée plusieurs fois, mais à chaque fois que j'ai proposé un remboursement, aucun d'eux n'en voulait. Ils voulaient le livre. Ils voulaient lire et s'inspirer de l'histoire qui a fait de moi la survivante, la mère, l'épouse, la dirigeante communautaire et l'entrepreneure que je suis aujourd'hui malgré les épreuves et les tribulations.

Croyez en vos rêves,
ils se réaliseront peut-être.
Croyez en vous et ils se réaliseront sûrement.

Martin Luther King

Chapitre 1
Violence et Innocence

Je me souviens encore de la fraîcheur intense, ponctuée par une impressionnante brume matinale. Une région agréable, avec son paysage époustouflant, ses collines, et ses sites naturels. Le climat, qui favorise une abondante production agropastorale, est composé de deux grandes saisons, une saison sèche et une saison des pluies, avec une température moyenne de 22° Celsius. Je hume encore l'odeur de la terre des champs, avec ses cultures diverses.

Cette région montagneuse et massive est caractérisée par une architecture exceptionnelle, avec des constructions en tiges de palmiers raphia, couvertes d'un toit en forme de cône, recouvert de pailles composées de piliers et de portes en bois. Les murs sont réalisés de manière séparée, à même le sol, par les spécialistes de l'assemblage de tiges de palmiers raphia et des sculpteurs de bois. Le plafond est construit à partir de plusieurs couches de branches de palmiers à raphia que soutiennent des piliers, pour protéger des intempéries ceux qui s'y trouvent.

C'est dans cet environnement que je suis née dans les années 80 à Mbouda, une ville du département des Bamboutos dans l'Ouest du Cameroun. Très tôt, je découvre la rudesse de la vie. Le monde m'avait accueillie avec violence et adversité. Ma famille était très modeste, pour ne pas dire pauvre. Notre fratrie était alors constituée de sept enfants.

À Mbouda, nous vivions dans une case en terre battue, avec deux pièces peu éclairées. Notre petite case, dont le toit était en feuilles de raphia, était entourée de part et d'autre de broussaille et d'un champ. D'ailleurs, ce champ qui s'étendait sur une superficie insignifiante nous servait de vivier. Je me souviens encore de la construction de notre maison. Même nous, les enfants, avions participé au mélange de la terre avec de l'eau. Ensuite, chacun de nous devait piétiner ce mélange pendant quelques minutes, pour faire du poto-poto qu'on mettait dans des moules en bois, afin d'obtenir des briques qui permettaient enfin de construire notre habitation. Nous avions alors deux chambres à coucher, une pour papa et maman et une autre pour tous les enfants. Je partageais le lit avec mon troisième frère aîné et mon frère cadet. Au-dessus de notre lit en bambou se trouvait une sorte d'assemblage de fils en plastique tissés, que nous appelions matelas. Pour éclairer la maison, nous utilisions une lampe-tempête (une lanterne à pétrole).

Avant l'âge de cinq ans, une avalanche de problèmes secoua notre famille au point de créer une rupture entre mes parents. En dehors de leurs problèmes de couple, certaines tensions étaient dues au fait que ma mère n'était pas la bienvenue dans ma famille paternelle. Son crime ? Elle était ressortissante d'un autre village, bien qu'étant de la même tribu que papa. Maman nous emmena tous les trois, mon troisième frère aîné et mon frère cadet, vivre à plus d'une trentaine de kilomètres de ma ville natale, chez ma grand-mère, à Bandjoun. Mon premier frère aîné vivait déjà à Bandjoun chez l'une des sœurs de maman et son cadet était installé à Douala, chez une autre sœur. Ses sœurs voulaient ainsi la « soulager » en s'occupant de certains de ses enfants.

Chez grand-mère, rien ne changea vraiment, à part le nom de la ville. On aurait dit la même case en terre battue, avec ses trois pièces toutes étroites ; deux chambres à coucher et une pièce comme salon, une vieille table collée contre le mur, face à l'entrée, qui supportait tous les ustensiles de cuisine, des bassines et des seaux. Aux extrémités du salon se trouvaient des chaises vieillies par l'usure du temps, que nous appelions innocemment fauteuils. C'était notre maison et nous l'aimions beaucoup : c'était le chez-nous.

À l'âge de cinq ans exactement, je manifestais une envie pressante de me rendre à l'école. Voir mon frère prendre le chemin de l'école chaque matin en me laissant à la maison me faisait fondre en larmes. L'un de mes rares souvenirs qui me remonte de cette période est celui d'une matinée de septembre. Mon aîné, vêtu lourdement comme un Scandinave à cause du froid qui battait son plein, nouait les lacets de ses chaussures. Assise face à lui, je l'observais puis je me décidai à lui demander :

– Tu vas où ?

– À l'école ! me lança-t-il, l'air surpris par ma question.

– Je veux aussi aller à l'école avec toi, dis-je.

Je me rapprochais de lui et m'agrippais à son cartable. Lui, d'un geste de la main, me repoussa et prit rapidement la sortie.

Je courais alors à l'extérieur où se trouvait la cuisine et me jetais dans les bras de grand-mère. Elle était déjà occupée à faire le repas de la journée, au feu de bois. Je la serrais tellement fort, le visage contre son pagne, au point où la senteur de la fumée de celui-ci m'étouffa.

Ma mère s'était mise à l'apprentissage de la couture. Et moi, je continuais à insister pour aller à l'école. Agacée, elle prit la résolution de rencontrer le Directeur de l'école, afin qu'elle puisse m'y inscrire. Ce dernier s'y opposa fortement, arguant que je n'avais pas encore l'âge requis pour faire partie de ses effectifs : il fallait avoir au moins 6 ans. Ma génitrice avoua au Directeur son désir brûlant de me voir faire mes premiers pas à la section d'initiation à la lecture (SIL). Elle persista face au refus de celui-ci, qui se plia finalement, à la seule condition que je passe un test. Je passais donc ledit test avec succès et je fus inscrite à la SIL, avec la menace d'être renvoyée au cas où mes notes seraient mauvaises.

De lundi à vendredi, je parcourais près de deux kilomètres, pour me rendre à l'école Saint Charles. Sous la morsure du vent très frais du matin, je marchais environ trente minutes. J'avais dans mon petit sac d'écolière mon repas frugal, concocté très tôt, le plus souvent, par grand-mère. Parfois, j'avais pour petit déjeuner le reste de nourriture de la veille, du pilé de pommes ou du koki, sur une feuille de bananier. Je mangeais alors en chemin, tout en chantonnant. Je gardais précieusement dans ma poche ma pièce de 10 FCFA ou celle de 25 FCFA, pour acheter plus tard, des beignets ou une sucette. Je découvrais ainsi le monde scolaire, avec les yeux neufs de l'enfance. Mon école était une simple bâtisse située tout près d'une magnifique paroisse catholique et de la résidence du personnel ecclésiastique : prêtres, sœurs, séminaristes. Certes, notre bâtiment n'avait pas la même splendeur, mais il était d'une importance capitale pour moi : j'avais hâte de recevoir des connaissances. Devant le bâtiment se trouvait une vaste cour de récréation qui nous offrait un terrain boueux, où il plaisait aux écoliers de s'amuser pendant les pauses et à la fin des cours.

J'étais très timide, candide et renfermée. Petite, je marchais constamment les pieds nus et les chiques se régalaient, en me rongeant les orteils. Cela m'avait valu en permanence le surnom de la « chicarde ». Mes camarades me taquinaient sans cesse. Et, pour m'humilier davantage, ils avaient créé un chant qu'ils fredonnaient plaisamment, tous en chœur, à chacune de mes apparitions. Ainsi, le désir d'être meilleure, malgré mon jeune âge, m'obsédait de plus en plus. Je m'appliquais davantage, à l'apprentissage de la lecture et de l'écriture, afin de relever ce défi. Le week-end, je donnais un coup de main à maman et à grand-mère dans les champs. Toute la famille s'attelait, bien sûr, aux travaux champêtres. Il fallait bien se nourrir.

Ma tante de Bandjoun avait épousé l'Honorable Antoine Kamga, un homme très haut placé dans la ville. Il fut enseignant, puis Maire pendant de nombreuses années, avant de devenir Député. Il était très cultivé, très éloquent, on dirait qu'il avait toute une encyclopédie dans la tête ; il représentait un monument pour moi, c'était un homme brillant, puissant et charismatique. Pour couronner le tout, il était aussi un haut dignitaire de la Chefferie Bandjoun, portant un titre de notabilité appelé en langue Bandjoun : « Ta Ndzu Wagne » qui faisait de lui le gardien des traditions. J'étais toujours très fascinée par le respect que tout le monde lui vouait. Par exemple, nous ne lui tendions jamais la main ; il fallait se tenir légèrement à distance, et quasiment se courber de manière révérencieuse avant de lui adresser la parole. Je me souviendrai toujours de la seule fois qu'il m'a serré la main. Je n'en revenais pas. J'étais en vacances au Cameroun en 2021 et comme à l'accoutumée, je me faisais toujours le devoir de lui rendre visite. J'étais surprise de le voir couché sur son lit, lisant un journal comme il le faisait tous les jours depuis des années et bien qu'âgé de 90 ans et affaibli par sa santé, il lisait sans lunettes. Il put faire la conversation avec moi et avant mon départ, il me tendit la main et me demanda de m'approcher pour la lui serrer ; il me bénit et me souhaita bon retour. C'était la dernière fois que je le voyais. Il allait rendre l'âme juste quelques mois plus tard.

Le couple Kamga avait accueilli très tôt ma mère qui était la dernière-née de ma grand-mère et l'avait quasiment adoptée comme leur premier enfant. J'appelais affectueusement Papa Antoine grand-père, car tous mes deux grands-pères étaient décédés avant ma naissance. Il était donc la seule personne qui m'apportait l'affection d'un grand-parent. Ma tante et son mari avaient eux-mêmes par la suite donné naissance à dix enfants parmi lesquels quelques-uns qui étaient encore en bas âge comme moi quand ma mère nous emmena vivre à Bandjoun. Le couple s'occupait également de nombreux autres enfants de la famille étendue, ce qui faisait que ma mère évitait de les embêter avec nos problèmes financiers et préférait se battre du mieux qu'elle pouvait pour gagner un peu d'argent. Je passais les après-midis chez eux, au sortir de l'école, en attendant que maman vienne me chercher. Elle partait tous les matins perfectionner sa formation de couturière au centre-ville. La maison de ma tante était très belle, évidemment, plus moderne que celle de ma grand-mère chez qui nous vivions. Elle était située à peine à huit minutes de marche de mon école. Il y faisait bon vivre. Et c'est avec beaucoup de plaisir que j'y passais les après-midis. J'avais alors l'opportunité de jouer dans une cour commune, derrière sa maison, avec les enfants du quartier. Ici, tout le monde connaissait tout le monde, et tout le monde entrait aisément chez tout le monde, sans ambages.

Pendant que les autres enfants de notre génération s'amusaient avec divers jouets, ou faisaient du vélo, ou jouaient au Monopoly, ou au Scrabble pour les aînés, moi, je prenais un réel plaisir à jouer au pousse-pion, aux billes ou à cache-cache, avec d'autres enfants du quartier, car c'est tout ce que nous pouvions faire sans que nos parents aient vraiment à débourser beaucoup d'argent. Un après-midi, je m'adonnais encore à mes moments favoris de la journée lorsque, tout à coup, le fils de la voisine de ma tante, âgé d'environ vingt ans, m'envoya chercher de l'eau pour lui. Il s'était placé à la fenêtre et m'avait appelée avec insistance.

– Oui tonton, répondis-je

– Viens là, vas chercher de l'eau à boire pour moi dans la cuisine.

Sans hésiter, je me dépêchai d'aller puiser de l'eau potable dans une très grande casserole argentée dans laquelle sa mère la conservait. Celle-ci était certainement allée au champ, au vu du calme qui régnait dans la maison. C'était une maman très gentille et très amusante. Quand elle faisait du riz sauté, presque tous les enfants étaient conviés à le déguster. Elle nous racontait toujours des histoires très drôles. Tout le monde connaissait son fils dans le quartier comme étant un jeune homme brillant et serviable que nous appelions affectueusement «tonton». C'est donc tout naturellement que je suis entrée dans sa chambre, pour lui apporter son gobelet d'eau. J'étais alors très loin d'imaginer ce qui m'y attendait. Il avait si bien dissimulé ses réelles intentions. Dès que j'entrai, il me dit de déposer le gobelet d'eau sur la chaise en bambou qui servait de table de chevet. Pendant que je m'exécutais, pressée de retourner jouer avec les autres bambins de mon âge, «tonton» se leva brusquement du lit, ferma la porte à clé et la mit aussitôt dans sa poche. À ma grande surprise, il se rapprocha rapidement de moi et, en l'espace de quelques secondes, sortit un couteau de son oreiller. Il me dit: Ne crie pas, si tu fais ce que je dis, je ne te ferai aucun mal. Il lança ensuite le couteau sur le lit, se dépêcha de défaire la fermeture de son pantalon et força sa verge puante dans ma bouche. Je n'eus même pas le temps de penser à crier. J'étouffais presque, mais il ne semblait pas s'en préoccuper. Après avoir assouvi son sadisme, il m'assujettit de nouveau avec son couteau, le plaça sur mon cou et me menaçant de mort en ces termes: Si tu racontes à qui que ce soit ce qui vient de se passer, je te tue. Tu peux aller jouer maintenant, m'ordonna-t-il. Je sortis de là, penaude, traumatisée. Je ne pouvais en parler à personne, tellement ses menaces de mort me revenaient à l'esprit. C'est d'ailleurs une des raisons pour lesquelles je m'étais forcée à garder le silence même plus tard lorsque je fus à nouveau victime d'abus sexuels par d'autres personnes. De plus, à qui pouvais-je vraiment parler de ce genre de monstruosités? Ces personnes allaient-elles me croire? Pendant plusieurs jours, mon sommeil fut tellement troublé.

J'avais du mal à m'endormir. D'ailleurs, quelle enfant, à l'âge de cinq ans seulement, aurait trouvé le sommeil après une telle maltraitance? Pourtant, je pris la résolution de mettre tout cela derrière moi et d'avancer.

À la fin de l'année scolaire, je relevais le défi haut la main. J'étais la première de la classe, quoiqu'étant la plus jeune. La chicarde obtint par là son ticket pour la classe supérieure : le cours préparatoire.

Il est vrai que toutes ces humiliations que j'avais subies durant ma première année scolaire avaient fini par affecter fortement ma mère. Bien qu'étant sa quatrième enfant, je suis sa première fille. Toutes ces brimades à l'école n'auraient pas pu la laisser indifférente. Elle prit donc la décision de retourner vivre à Mbouda. Son mari et elle s'étaient d'ailleurs réconciliés. Tout semblait donc aller pour le mieux. Je pourrais continuer sereinement mes études dans un nouvel environnement.

Pourtant, ma deuxième année scolaire fut aussi tumultueuse que la première. Maman avait prévu de m'inscrire dans une école tout près de notre case, à l'école de Bamessingue. Malheureusement, il n'y avait plus de place disponible pour mon admission. J'étais revenue à Mbouda quelques jours après le début effectif des cours. Je fus donc admise à l'école primaire de Batoula, en classe de cours préparatoire. Cette école était située à plusieurs kilomètres de notre case. C'était alors un véritable parcours de combattant, pour la fillette de six ans que j'étais. Je marchais tous les matins pendant une heure au moins, de la maison à mon école. Cependant, je me démarquai très tôt, par mon sens élevé de la compréhension des leçons, mon assiduité et mon exemplarité. Je débordais d'intelligence. Lorsque l'enseignant voulait réprimander mes camarades, il me citait toujours comme une référence. Pour lui, les autres élèves devaient suivre mon exemple. Je me souviens encore des moments où il m'arrivait d'interpeller poliment l'enseignant, pour lui faire remarquer des fautes sur le tableau noir. Il en était alors subjugué, eu égard à mon très jeune âge. Il m'arrivait aussi de rassembler mes amis à la maison, dans notre case. Je me substituais alors à l'enseignante et je jouais parfaitement ce rôle. Pensive, maman me regardait, toute souriante.

Un matin, alors que je commençais à arpenter le chemin de l'école, je fus rattrapée par mon enseignant. Il m'invita à monter à l'arrière de sa moto, tout en soutenant qu'il ne pouvait laisser sa meilleure écolière braver toute cette distance, pour se rendre à l'école. Je pris alors place, pour la première fois, à l'arrière d'une moto. Je passais les bras autour de la taille de mon enseignant et nous roulâmes sur une longue distance. Paniquée et maladroite sur l'engin, le tuyau d'échappement ne manqua pas de me brûler sévèrement au niveau de la cheville. La brûlure devait être au deuxième degré, ma peau s'étant arrachée. Je fus transportée de toute urgence au centre hospitalier le plus proche. La cicatrice, toujours visible, me rappelle encore ce triste souvenir, trois décennies après. Plus tard, je fus inscrite à l'école de Bamessingué, tout près de la maison. J'étais à ma troisième année au cycle primaire. Mes études, excellentes dans l'ensemble, furent couronnées par l'obtention de mon Certificat d'Études Primaires Élémentaires.

Pendant toute mon enfance, j'ai été marquée par la manière dont ma mère se battait pour nous donner le minimum. Papa avait pour principale activité, gardien de nuit d'une école primaire de la place; il avait donc un revenu insignifiant. Afin de nous nourrir, maman avait dressé un hangar devant notre case. Elle faisait et vendait des beignets, haricot et bouillie: le trio gagnant très prisé par tous au Cameroun. Étant la première fille, je devais me réveiller tous les matins à cinq heures pour l'aider à apprêter la farine et commencer à servir les premiers clients avant de partir à l'école. Au début, elle utilisait le feu de bois qu'elle apprêtait à l'aide de 3 grosses pierres, du bois et du pétrole. Il fallait sans cesse souffler sur le bois pour activer le feu. Ce qui était pénible et perdait du temps. De plus, la fumée m'étouffait parfois et affectait la sclérotique de mes yeux qui au fil du temps passait de blanc à marron. Jusqu'aujourd'hui cette partie de mes yeux reste très foncée. Plus tard, ma mère réussit à épargner assez d'argent pour se procurer un petit four en acier dans lequel il fallait verser de la sciure de bois ou du copeau et y verser un peu de pétrole pour allumer le feu. Toujours ambitieuse, maman arriva à faire encore plus d'économies pour finalement s'offrir un réchaud à pétrole, ce qui rendait la tâche un peu plus facile pour allumer le feu et cuisiner. Malgré ses multiples activités commerciales, son revenu restait maigre pour soutenir pour toute la maisonnée. Voilà pourquoi, au retour des classes, je posais un plateau de marchandises sur la tête et marchais pendant des heures jusqu'au centre-ville afin de faire une recette supplémentaire qui pourrait aider à nous acheter quelques fournitures scolaires. En chemin, je scandais le produit du jour afin d'attirer les potentiels acheteurs : oranges bien sucrées ? Jolis fruits noirs ? Maïs bouilli bien sucré ? Arachides bouillies ? Arachides grillées ? Bons œufs bouillis ? Le type de marchandises variait en fonction des saisons et de la demande. Pendant les périodes d'examens de fin d'année, ma mère louait deux brouettes ou pousse-pousse, y posait des seaux de nourriture et confiait à mon frère et moi. Nous devrions chacun cibler un centre d'examen et y conduire nous-mêmes notre mini resto mobile et nous y installer très tôt avant l'arrivée des élèves afin d'espérer réaliser une bonne recette.

Cependant, l'ambition emplissait mon front juvénile. Je voulais constamment être différente, en faisant mieux les choses. Je désirais absolument me démarquer. Et je me distinguais toujours autant par l'ardeur au travail que par une assiduité inébranlable. Malgré tout cela, mes études secondaires étaient sérieusement menacées. Je redoutais la rupture très probable de ma scolarisation. J'avais déjà onze ans et, consciente de l'inconsistance financière de ma famille, je pris alors la résolution d'oser.

Il y avait un natif de ma ville de Mbouda qui venait d'être nommé Gouverneur de la Province du Nord-Ouest. Des festivités grandioses avaient été organisées en son honneur, sur la place des fêtes, peu avant sa prise effective de fonction. Remarquant le faste et l'effervescence de cette cérémonie, j'avais aussitôt pensé que le Gouverneur devait être un homme extrêmement riche. Il me vint à l'idée de lui adresser une correspondance. Je voulais lui demander de l'aide, afin de financer mes études. Le lendemain de la cérémonie, je me rendis au bureau de la poste m'enquérir des modalités relatives à l'envoi d'un courrier. Très rapidement, je rédigeai la correspondance au Gouverneur, tout en lui précisant que je comptais terminer mes études avec brio, trouver un bon emploi et lui rembourser totalement tout ce qu'il dépenserait pour financer mes études. Je remis ensuite le courrier aux agents postaux qui, amusés, m'affirmèrent que je n'aurai jamais de retour. Ils eurent raison : jamais je ne reçus de réponse de la part du Gouverneur.

Heureusement, je parvins à m'inscrire au lycée au début de l'année scolaire, par l'entremise d'un oncle qui s'occupait déjà de plusieurs autres enfants de la famille. Je me retrouvais donc au secondaire, toujours aussi brillante et autant entreprenante. Alors que je passais de la classe de 6e pour la classe de 5e, mon père fut victime d'une agression qui le diminua. Maman était maintenant le seul rempart. Les ressources de la famille s'amoindrirent davantage. Malgré les secousses financières, tout se passa relativement bien, jusqu'en classe de terminale.

Toujours classée comme meilleure élève durant la quasi-totalité de mon parcours scolaire, mon père se rendait à l'école à chaque fin d'année, récupérer les différents prix à moi décernés. Parfois, il y avait tellement de prix glanés que papa se faisait accompagner par un ami pour l'aider à les transporter jusqu'à la maison. C'était devenu un rituel. Pourtant, malgré mes prouesses scolaires, malgré toutes les distinctions reçues, papa affichait toujours envers moi une indifférence glaciale. Pour lui, la tendresse n'existait pas. Jamais, il ne m'encourageait. Jamais, il ne me félicitait. Bien au contraire, si j'étais la première de la classe avec une moyenne de 18 sur 20, il me reprochait de n'avoir pas eu plutôt une moyenne de 19 sur 20. Si j'avais 19 sur 20, j'occupais cependant la deuxième place au classement avec cette performance. Il me demandait si le premier avait deux têtes ou quoi que ce soit de spécial lui permettant d'avoir une bien meilleure performance que moi. À cette époque, les camarades prenaient du plaisir à fredonner un chant pour humilier ceux qui avaient de mauvaises notes : « Le jour des résultats, les larmes vont couler », scandaient-ils. Pourtant, je rentrais généralement chez nous en pleurant après chaque examen, parce que je savais que, quel que soit mon résultat, j'allais être réprimandée ou fouettée et non encouragée.

La seule fois où j'appris que mon père était fier de moi, c'est quand un monsieur de notre village m'interpella pour me féliciter après l'obtention de mon diplôme de probatoire. Quand je lui demandai comment il avait appris que j'étais admise, il me fit savoir qu'il était dans un bar avec mon père la veille et que ce dernier avait acheté à boire à tous ses amis afin qu'ils puissent ensemble célébrer mon succès. Cela expliquait en quelque sorte pourquoi il était rentré ivre ce soir-là, mais ce que je ne comprends pas jusqu'aujourd'hui, c'est pourquoi bastonner un enfant dont on est fier. Probablement, les parents eux aussi traversent parfois des moments difficiles et croient noyer leurs soucis en s'adonnant à l'alcoolisme. Cependant, les conséquences peuvent vraiment s'avérer désastreuses.

En général, quand mon père rentrait ivre et que je l'entendais bavarder dès son entrée à la maison, je sautais par la fenêtre et me mettais à courir dans la nuit. Parfois, ma mère me suivait et on trouvait refuge chez un membre de la famille ou n'importe quel habitant du quartier qui accepterait de nous garder jusqu'au lendemain, le temps pour mon père de revenir à de meilleurs sentiments. Une nuit, pendant que j'étais dans une course folle pour échapper à mon père, une de mes jambes s'enfonça entre deux tôles qui couvraient un puits qu'un voisin creusait derrière sa maison. Fort heureusement, mes cris stridents alertèrent les voisins qui vinrent me tirer de là. Je porte ces cicatrices ainsi que celles de nombreuses bastonnades sur mes jambes jusqu'aujourd'hui.

Issue d'une famille pauvre, très tôt, je pris conscience de l'utilité du travail. J'avais compris que c'était l'outil ultime pour déblayer le chemin de mes rêves. Férue de la radio, j'avais découvert ma passion pour la chanson. J'intégrais en classe de 4ᵉ, le club Lazer, une sorte de club journal du lycée qui regroupait les amoureux de la radio, les animateurs et les journalistes en herbe. À la maison, j'avais pris l'habitude d'écouter la radio de papa, que personne, ni mes frères, ni ma mère, encore moins moi, n'avait le droit de toucher. C'était un bien matériel très luxueux.

Quand papa captait la fréquence de la CRTV[1] Ouest, la seule radio régionale de l'époque, je me rapprochais, assise sur un banc, et j'écoutais. Il m'est même arrivé de participer aux jeux tombola organisés par la radio et de gagner un prix. Mon père, heureux, alla chercher ledit prix, sans manquer de me bastonner, martelant que je n'aurais pas dû participer à des jeux radiodiffusés.

Constamment scotchée sur les ondes de la radio, la

---

1. Cameroon Radio and Television

musique me procurait alors une telle sensation de plaisir que je m'évadais, tout simplement. La chanson «Okaman» de Monique Seka (chanteuse ivoirienne) me faisait particulièrement plaisir. Je décidai donc de l'interpréter lors d'un évènement culturel au lycée. Avec mes maigres économies, je parvins à m'offrir une cassette de ma chanteuse préférée. Je profitais de l'absence de papa pour la jouer et mimer les paroles. Je m'exerçais pour la même occasion à marcher avec des chaussures à hauts talons ramassées dans la poubelle chez l'une de mes tantes. Pour la circonstance, j'avais opté pour un vestimentaire à la mode de l'époque, la tendance DVD[2]. J'avais alors déniché à la friperie une mini-jupe et un petit haut, dos et ventre dehors. Cependant, la crainte de papa me tourmentait tellement. Je redoutais d'être bastonnée, une fois de retour à la maison. Faire face à sa fureur me hanta toute cette soirée au point où, stressée sur la scène, je me foulais la cheville, avec ma chaussure à talon cassée.

Papa était un homme très strict et très froid, toujours grincheux. Il régnait entre lui et moi un climat de tension permanente. Et, comme je prenais toujours le parti de maman lorsqu'ils se disputaient, mon père me percevait souvent comme un obstacle. Je me souviens encore du seul geste de tendresse qu'il a eu à mon égard, à l'époque où nous étions installés à Bandjoun, chez grand-mère. Ce matin du mois d'août, papa était venu nous chercher, afin que nous retournions à Mbouda. Il était question de réunir à nouveau la famille. J'avais cinq ans. M'ayant trouvée devant la porte de la case à son arrivée, mon géniteur m'avait alors prise dans ses bras et balancée dans le ciel, pour me rattraper ensuite. Depuis lors, plus rien. Une distance permanente s'était installée entre nous, bien que vivant à nouveau sous le même toit. Je ne réclamais pourtant pas grand-chose. Je

---

2. Dos et ventre dehors

voulais juste un peu d'amour. J'avais aussi besoin de me sentir aimée, chouchoutée, écoutée, encouragée, motivée. Mais, je recevais sans cesse des hurlements, des fessées, des menaces, certainement pour me corriger, me protéger et me mettre sur la bonne voie. Malheureusement, tout cela me poussait plutôt à chercher de l'affection ailleurs, et pas toujours au bon endroit.

J'ai toujours pensé qu'une certaine complicité entre les parents et leurs enfants était d'une très grande importance. Ceux-ci se confieraient aisément à leurs géniteurs, dans un climat de confiance. Un enfant qui voit en son parent un ami plutôt qu'un rouleau compresseur, se sent valorisé et est prêt à tout surpasser, pour des résultats satisfaisants. Plusieurs facteurs ravivaient en moi une envie de réussir, ce désir ardent d'être meilleure. La pauvreté en fut un élément déterminant. Et, j'estimais qu'il fallait que je sorte ma famille de cette horrible situation. Il m'arrivait souvent de penser que ma réussite, ce sera lorsque j'aurai trouvé un bon mari et un bon boulot, avec un salaire mensuel de 100 000 francs CFA. Pour moi, c'était l'idéal, surtout qu'à cette époque, les jeunes filles étaient très vite envoyées en mariage.

La misère nous tenait en respect. Même pour avoir de l'eau potable, c'était un calvaire. Cependant, une occasion favorable pour changer notre précarité se présenta. Ayant opté pour la série A_4 allemande dès mon entrée en classe de 4e, je fus sélectionnée en classe de 3e par mes enseignants pour aller au pays d'Oliver Khan dans le cadre d'un programme financé par la Coopération allemande. Ma maîtrise de cette langue les étonnait et mes excellentes notes les stupéfiaient. Cette opportunité avait été offerte aux élèves qui maîtrisaient rapidement la langue allemande et la maniaient aisément. Je faisais une fois de plus honneur à mes géniteurs, avec cette distinction. Pourtant, je ne fus pas surprise de leur désaccord, pour cette découverte d'un horizon lointain dans un pays étranger. Sans en avoir discuté avec moi, ils avaient décidé de me refuser ce voyage, malgré les plaidoiries de mes encadreurs. J'en fus très attristée, mais je restais convaincue que ce refus de mes parents, c'était par amour. Ils avaient sans doute craint de perdre leur première fille, ne sachant véritablement pas de quoi il s'agissait.

Alors que mon année scolaire en classe de 3e se passait paisiblement, un évènement fâcheux vint me perturber. Pour le défilé de la fête de la jeunesse, il avait été décidé à l'école que les meilleurs élèves seraient mis en avant, dans les rangs du défilé. Je devais occuper la première ligne, tenant une pancarte. Il me fallait donc être coquette. Or, j'avais une chevelure crépue, des cheveux drus, juste familiers au fil à tresser. Non loin de notre maison, il y avait un salon de coiffure tenu par une dame loquace, qui fourrait son nez dans toutes les affaires du quartier. Maman avait décidé de m'y amener pour me faire défriser les cheveux. Ce samedi matin, quand je suis arrivée au salon de coiffure, j'ai trouvé la dame à l'extérieur comme toujours, en train de bavarder avec « ses copines ». Maman qui m'accompagnait, n'avait pas tardé à lui expliquer ce qu'elle avait à faire et avait aussitôt repris le chemin de la maison. Ayant pris place face au miroir, je la regardais faire. Elle avait commencé par toucher mes cheveux et, d'un air moqueur, s'étonna devant une telle dureté. Puis, elle prit un défrisant TCB[3], très à la mode à l'époque, et commença à l'étaler sur mes cheveux. Jusque-là, maman m'accompagnait au marché et, en plein air, sous un soleil cuisant, un produit chimique, la « chaux », se chargeait de ramollir mes cheveux crépus. C'était donc la première fois que j'entrais dans un salon de coiffure. Après que ma chevelure fût entièrement imbibée de défrisant, la coiffeuse prit congé de moi. Elle retourna continuer les commentaires avec ses commères à l'extérieur, sur des affaires ne les concernant pas du tout. Il fallait attendre un

---

3. Marque de défrisant populaire à l'époque où se déroule l'histoire

moment pour laver les cheveux, m'avait-elle dit. Après une dizaine de minutes, je commençais à ressentir une douleur, comme une forte chaleur, qui inondait mon crâne, de manière croissante. Cette sensation horrible devenait de plus en plus intense. Je criais, j'appelais à l'aide. Hélas! La coiffeuse était plongée dans des discussions interminables. Elle n'entendait pas mes cris de détresse. Il avait fallu que l'une de ses amies attire son attention. Trop tard, mon cuir chevelu avait déjà copieusement brûlé. La douleur fut si lancinante que les larmes tarirent dans mes yeux. Dès lors, une autre souffrance s'était imposée dans ma vie. Les cheveux poussaient sur ma tête, de façon assez parsemée, ce qui était même déjà un miracle puisqu'après avoir rasé ma tête et m'avoir mis sous traitement, le docteur nous avait fait savoir que mes cheveux ne repousseraient plus. Ma tête avait donc une apparence bizarre, suscitant la curiosité et surtout des railleries. J'obtins alors l'autorisation spéciale d'arborer un foulard sur la tête, pour me rendre à l'école. Tout ceci était horrible pour l'adolescente que j'étais devenue. Justement à cet âge où je voulais me sentir belle et attirante comme mes camarades. Une fois de plus, je replongeais dans l'épisode douloureux de ma première année scolaire. Mes camarades ne manquaient pas l'occasion de se moquer à nouveau de moi. Je devins la risée de tout le lycée. Je me repliais sans cesse sur moi-même et m'adonnais davantage à mes études.

La fermeture temporaire des écoles était la période des vacances. Je pouvais alors me ressourcer et regagner confiance en moi. Loin de mes camarades et des moqueries, je pouvais enfin souffler. Pendant les vacances, nous allions généralement chez quelques membres nantis de la famille. Nous les aidions dans leurs tâches ménagères. Nous faisions leurs courses. Ainsi, à la fin des vacances, nous étions assurés d'un coup de main de leur part pour la prochaine rentrée scolaire.

Notre famille s'était agrandie. Elle avait accueilli mes

deux petites sœurs. Malgré tous les efforts déployés, notre maisonnée s'enfonçait davantage. La misère s'accentuait. Ça allait de mal en pis. Bientôt, il devint difficile pour papa et maman de nous nourrir tous. La décision fut prise. Il fallait nous éparpiller chez des proches. Mes deux aînés vivaient déjà chez les sœurs de maman, l'un à Douala et l'autre à Bandjoun. Une de mes cadettes fut confiée à la nièce de ma mère qui travaillait à l'Assemblée Nationale, à Yaoundé. Mon petit frère rejoignit un ami de la famille qui s'était proposé de nous aider, en prenant en charge sa scolarité. En contrepartie, mon cadet l'aiderait dans son atelier de menuiserie à Douala. Cette proposition plut à mes parents. Ils auraient pourtant aimé voir leur progéniture grandir au sein du cadre familial. Malheureusement, la misère les terrassait. Ils n'ont donc pas eu d'autre choix que de laisser partir au loin leurs enfants bien-aimés.

Après l'éclatement de notre famille, je me suis rendue à Douala, pour des vacances. J'avais entrepris de chercher mon petit frère chez son tuteur. Sachant que cet ami de famille était propriétaire d'une petite usine à fabrique de meubles, je retrouvais très rapidement sa menuiserie. Je fus alors sous le choc. Mon cadet était tout maigre. Il travaillait sans relâche et présentait un visage très vieillissant. Pire encore, il n'a jamais franchi le seuil d'une école, depuis son arrivée à Douala. Tel un esclave, mon frangin était tout simplement exploité. Au nom de la misère, ce « tonton » nous avait floués. Comment avait-il osé ?

De retour à Mbouda à la fin des vacances, mes parents furent très attristés par mon récit sur le vécu de leur bout de chou à Douala. Ils en étaient estomaqués. Cette situation précaire que vivait ma famille depuis des lustres m'exaspérait de plus en plus. Il me fallait trouver une solution. Je me sentais véritablement investie de cette mission de nous sortir de la dépendance financière. Je crus de nouveau que le mariage en serait la seule porte de sortie.

Chapitre 2
Brouillard et Espoir

Toute mon enfance, j'ai été maigre. Je mangeais très peu. Dès mes premiers pas à l'école, mes camarades m'appelaient régulièrement la « chicarde ». Ils ignoraient alors mon visage innocent et mon corps amaigri qui ne demandait qu'à apprendre, à découvrir, à étudier. Le moins que l'on puisse dire, c'est que de ma corpulence physique, ma mère s'en inquiétait, grand-maman également. J'avais dû ingurgiter les vitamines à flot, pour provoquer en moi l'appétit. Rien de tel n'est arrivé. J'étais très fidèle à mes kilos insignifiants.

Ma grand-mère parcourait des kilomètres, de village en village, pour vendre ses avocats. Elle le faisait une fois par semaine, le jour du marché de Mbouda. Elle en profitait alors pour m'apporter ce délicieux taro emballé dans les feuilles de bananier séchées et passées au feu de bois pour ramollissement et désinfection. Grand-maman insistait pour que je mange, afin de prendre quelques kilos. Hélas! Ses efforts restaient vains. Je gardais toujours ma maigreur.

Spécialité des Grassfields[4] adoptée des Bamboutos, ce mélange de taro et de macabo pilés est souvent accompagné soit d'une sauce noire faite à base d'épices, d'eau et de champignon; soit d'une sauce jaune faite à base d'huile de palme, du sel gemme et du mbounga (poisson fumé). Servi chaud, ce plat prestigieux est dégusté avec les doigts. Hum!

---

4. Région des Hauts Plateaux du Cameroun

Le goût de ça! Comme on le dit au pays pour apprécier l'exquise saveur. Le taro est un plat en général réputé dans la région de l'Ouest. Sa préparation nécessite une débauche d'énergie physique. Les sauces qui l'accompagnent doivent être faites de mains expertes. Ce mets très prisé pour son goût est particulièrement apprécié dans des cérémonies spéciales. L'on ne saurait recevoir des personnalités ou des invités de marque sans inclure ce plat dans le menu. Réussir sa cuisson atteste également qu'une fille est déjà apte au mariage. C'est l'un des critères exigibles.

Chez nous, nous ne mangions jamais du poulet, même pas pendant les fêtes. Le jour de Noël et de Nouvel An, il nous arrivait d'en manger chez des voisins nantis qui, pour l'occasion, ouvraient grandement leurs portes. Lorsque je repense à tout cela, j'ai toujours un frisson qui traverse tout mon corps. La misère nous tenait vraiment en respect. Pour avoir de l'eau potable, c'était aussi un calvaire. Il en était de même pour nous vêtir.

Maman ramassait les vêtements abandonnés que les enfants de ses sœurs avaient portés. Elle les lavait, les repassait, puis nous les passait. Au lycée où j'étais inscrite à Mbouda, on exigeait de chaque élève deux uniformes pour l'année scolaire en cours. Il fallait en changer en milieu de semaine. Notre uniforme était de couleur kaki. Il y avait une bande bleue au niveau du buste et une ceinture en tissu, de la même couleur, au niveau des reins. Je les lavais régulièrement et les passais au fer à charbon, cette sorte de fer à repasser en acier lourd, qui s'ouvrait complètement par le haut. Il fallait y mettre du charbon par l'ouverture, prendre un morceau de papier, y mettre du feu à l'aide des allumettes, puis poser le papier enflammé au milieu du charbon. Celui-ci s'embrasait à son tour. Il se dégageait alors au bas du fer une chaleur intense qui, une fois sur un vêtement, faisait disparaître les plis et redressait systématiquement l'habit. Toute petite, j'avais déjà mis un point d'honneur sur la propreté. Et, quoique vieux, je gardais toujours mes vêtements propres et bien repassés.

Un jour, une amie m'invita chez elle. Elle m'avait emmenée dans sa chambre pour me faire une «surprise». Après avoir ouvert son placard, je fus émerveillée devant ses belles robes et ses jolies chaussures qu'elle me présentait, sous fond de vantardise, teintée d'un peu d'arrogance. Pendant que je contemplais ses magnifiques vêtements que lui avaient offerts ses parents pour son anniversaire et que mon visage s'illuminait, mon amie me ramena sur terre. D'un air méprisant, elle me fit comprendre que jamais, je ne pourrais obtenir pareils présents des miens, tant la misère de notre famille était frappante. Ses parents étaient nantis, son papa entrepreneur et sa maman, enseignante. En plus, ses aînés vivaient au Canada. Comment avait-elle alors osé m'humilier de la sorte, me questionnai-je sans arrêt. Cette image, toujours très forte dans mon esprit, me donne encore des palpitations. Ce jour-là, mon amie avait semé en moi les germes de la révolte. Ce fut le déclic. Désormais, je ne rêvais plus de moi comme une jeune fille au foyer, mais comme une diplômée des grandes écoles. Je m'étais résolue à sortir de cette précarité, au prix du travail. Naître dans la pauvreté n'était pas ma faute, mais y demeurer le serait.

Tout près de notre case à Mbouda, notre voisin possédait un téléviseur. J'y allais souvent avec mes frères regarder certaines émissions. J'aimais particulièrement suivre le journal télévisé de 20 h 30. Deux journalistes, présentatrices du journal télévisé à la chaîne nationale camerounaise CRTV, me fascinaient. Elles me faisaient vraiment rêvasser, Denise Epoté et Anne Marthe Mvoto, elles me laissaient sans voix. Classes, élégantes, avec une verve séduisante, ces icônes de la télévision me faisaient rêver. Je voulais leur ressembler, être comme elles, faire la communication. Il me fallait donc retrousser les manches, travailler plus durement, batailler. Ne dit-on pas que «qui veut aller loin ménage sa monture»? J'ignorais alors que d'autres épreuves, plus affligeantes, allaient encore joncher mon chemin. Il fallait être très forte...

Mon oncle qui avait pris en charge mes études pendant quelques années était le plus riche de la famille. Il arriva qu'il donne une réception dans son domicile à Mbouda. Ses invités devraient être du même rang social, avais-je alors pensé. Je m'étais rendue disponible pour ladite réception, auprès de ses épouses. Pendant que je m'affairais aux multiples tâches, je remarquais un ami de mon oncle qui me dévisageait. Relativement jeune, grand de taille, c'était plutôt un bel homme aux allures d'un nanti de la haute société. Il me regardait passionnément. J'avais environ 16 ans, mais mon physique et les courbes de mon corps m'en donnaient plus d'une vingtaine. Finalement, il se présenta, conversa brièvement avec moi et m'indiqua qu'il retournait déjà à son hôtel, à la sortie de la ville.

Je savais que le bonheur existe. J'étais convaincue qu'il se trouvait dans l'amour érotique. Ce genre d'amour qui crée une attirance physique, sexuelle et instinctive entre un homme et une femme. Pour moi, il n'y avait rien de plus beau en ce monde que le sentiment d'exister pour quelqu'un. Le manque d'affection de mon père avait créé un si grand vide en moi. J'en souffrais énormément. Je ne me sentais pas du tout complète et, il me fallait absolument le combler. Je recherchais alors une certaine sécurité masculine. Je savais que l'amour ne pouvait pas être comparé aux biens matériels, mais j'avais absolument besoin de quelqu'un à mes côtés. En dépit de la pauvreté, je voulais d'un homme qui me comprendrait, me conseillerait, me traiterait avec douceur et me comblerait. De retour à la maison, je commençais déjà à entrevoir un mariage avec l'invité de mon oncle, qui me donnerait ainsi la possibilité de soutenir ma famille. Le lendemain, je pris la résolution d'aller à son hôtel. Je me présentais à la réception. Fort heureusement, il y était.

Il m'invita à monter et m'accueillit chaleureusement, en gentleman.

Ayant pris place, nous nous sommes lancés aussitôt dans une longue discussion. Il me posa une série de questions. Je profitais de l'occasion pour lui raconter tout ou presque, les galères de ma famille, mes états d'âme, mes rêves, mes aspirations. Il en était profondément touché et ne cacha pas son étonnement, lorsque je lui fis part de mon âge. Il essaya de me remonter le moral et me dit alors : Je pense que tu es une personne extraordinaire, tu as beaucoup de qualités et je suis certain que tu réussiras dans la vie. Telle une cloche, ces paroles résonnent encore dans mon cœur. L'ami de mon oncle m'annonça qu'il pouvait bien s'autoriser une seconde épouse et qu'il me trouvait charmante et intelligente, exactement le genre de femme dont il serait fou amoureux. Cependant, il ne voulait surtout pas abuser de moi à mon jeune âge, en profitant de ma situation précaire ou de ma naïveté. Après m'avoir remis une importante somme d'argent, il me raccompagna dans un taxi et je ne le revis plus jamais. Je garde encore le souvenir de cet homme dont j'admire toujours la rectitude morale.

La douleur de la pénurie était vraiment pesante. Si jeune, j'étais déjà préparée à m'abandonner au plus offrant. J'étais prête à me lier à tout homme capable de sortir ma famille de la précarité extrême. C'est à cela que la pauvreté m'avait réduite. La misère fait mal, très mal. Et l'on ne sait jamais jusqu'où elle peut nous mener. Personne ne peut se plaire dans la pauvreté. Être nécessiteux, être misérable, dépendre sans cesse de la charité des autres, cela déshumanise. Nous étions esclaves de notre misère. Une si remarquable inégalité ne plairait certainement à personne. Parfois, ce handicap peut pousser l'être humain le plus raisonnable à des actes excessifs ou même répréhensibles. Personne n'aurait alors le droit de le juger. C'est ainsi que plusieurs filles se sont mariées jeunes, pour échapper au joug de la pauvreté.

D'ailleurs, j'avais assisté à cette époque-là au mariage d'une amie. Elle était issue d'une famille aussi pauvre que la mienne. Elle avait un copain qu'elle aimait profondément. À l'âge de 16 ans, elle devenait malheureusement pour elle ou heureusement pour sa famille, la deuxième épouse d'un homme très riche et beaucoup plus âgé qu'elle basé dans la province voisine, le Nord-Ouest. Elle avait d'ailleurs donné naissance à un joli bébé quelques mois plus tard.

Confrontée pendant plusieurs années à la pauvreté, j'avais développé la patience et la perspicacité. Mon corps était creusé de la tête jusqu'aux pieds, tellement j'étais maigre. Ma bravoure dénonçait notre précarité et, malgré la dureté de la vie, j'étais déterminée à avancer dans mes études. Je ne comptais que sur mes performances scolaires et sur Dieu. Ma famille était très ancrée dans la religion. Elle cherchait des repères. J'avais eu mon premier contact avec la spiritualité à l'âge de dix ans. Mon papa ayant côtoyé les témoins de Jéhovah avait été frappé par la droiture et la rigueur qui les caractérisaient. Il avait alors décidé de nous y conduire. Très vite, j'ai été imprégnée par leur doctrine. Mes facultés intellectuelles favorisaient l'absorption des enseignements. Tous les dimanches, j'allais à la congrégation. Peu de temps après, comme il est d'usage chez les témoins de Jéhovah, il fallait trouver du temps pour évangéliser. Je me livrais à cet exercice avec beaucoup d'entrain et ma capacité de persuasion ne laissait personne indifférent. Quelques années plus tard, j'avais émis mon souhait d'appartenir officiellement à la famille des Témoins de Jéhovah, en me faisant baptiser. Papa s'y était énergiquement opposé, me rappelant que son désir de nous voir aller à la congrégation n'avait pour seul but que de produire en nous une vie rigoureuse et disciplinée. Il n'y avait jamais été question de devenir des Témoins de Jéhovah, à part entière. Mon expérience religieuse ne fut donc qu'approximative pendant mon adolescence.

Chapitre 3
Leurres et Lueurs

Le temps passait et mes cheveux recommençaient à pousser. Mes parents avaient décidé que je les garde assez courts, craignant d'avoir à les défriser de nouveau et de subir le même incident. J'avais donc opté pour une coiffure assez masculine, la punk (coiffure à bords rasés et laissant des cheveux justes au milieu de la tête). Cela suscita encore les railleries de mes camarades. Malgré tout, j'étais heureuse de voir mes cheveux pousser à nouveau. J'avais alors pris l'habitude de porter un bonnet. J'en possédais plusieurs, de différentes couleurs.

Malgré tout, ce souci avec mes cheveux créait un réel complexe en moi et mes cheveux courts et mes bonnets ne me rendaient pas aussi féminine que je le souhaitais. Je fis néanmoins la connaissance d'un jeune athlète qui semblait bien m'apprécier malgré mes courts cheveux. Vincent était l'un des meilleurs footballeurs de mon lycée. Nous passions nos pauses ensemble et il m'invitait régulièrement à ses matchs de football. Chaque fois qu'il marquait un but, je quittais les gradins en courant pour aller danser avec lui. Je pensais avoir enfin trouvé un homme avec qui je pourrais développer une relation amoureuse, mais c'était sans compter que de nombreuses autres filles du lycée souhaitaient la même chose. Une d'entre elles en particulier, élève de la même classe de terminale que lui, décida de m'intimider. Elle me narguait sans cesse lors de ses matchs, venait quelques fois m'attendre à la sortie des classes pour me sommer de m'éloigner de lui. Elle était issue d'une famille aisée. Elle était grande, mince, mais avait de très belles rondeurs juste là où il fallait, des cheveux longs et toujours joliment coiffés. Elle ne cessait de me marteler que je n'étais pas son genre et que le plus tôt je comprendrais cela, le mieux ce serait pour moi. Ses attaques vinrent confirmer mes insécurités et malheureusement, mon complexe d'infériorité eut raison de moi. Je pris la décision unilatérale de m'éloigner et de me concentrer sur mes études.

Une année plus tard, un nouveau club fut créé au lycée : le Club des Amis Invisibles. Il me vint à l'esprit de m'y inscrire afin de me faire de nouveaux amis qui pourraient m'accepter pour moi-même et non pour mon apparence. Le principe était simple, les organisateurs connectaient les potentiels amis avec des noms codés et ceux-ci pouvaient s'envoyer régulièrement des lettres par l'intermédiaire d'un comité spécial mis en place à cet effet. Ceci me donna l'opportunité de me faire de nombreux amis parmi lesquels un en particulier avec qui des sentiments amoureux se développaient peu à peu. Une fois par an, un évènement très attendu appelé : Le Dévoilement, était organisé afin que les amis invisibles puissent enfin se rencontrer en personne. Je m'étais mise sur mon trente-et-un. J'avais hâte de finalement découvrir le visage de mon amoureux. Malheureusement, ce que j'appris ce soir-là me fendit le cœur. Il ne faisait pas partie des participants présents ce soir-là. On m'annonça qu'il avait été victime d'un accident de la circulation la veille de l'évènement et avait rendu l'âme sur-le-champ. Ce fut vraiment une expérience triste pour moi, mais je me résolus à laisser le temps faire et peut-être qu'un jour je pourrais enfin avoir une vraie relation amoureuse qui comblerait mon besoin d'avoir une affection masculine.

Alors que j'étais en classe de seconde, il y eut une

rencontre des fils et filles natifs de Mbouda. C'était une sorte de congrès qui regroupait tous les enfants du terroir vivant au pays et à l'étranger. Une soirée de gala était organisée pour la circonstance, non loin de la chefferie de Bamessingué. Je voulais à tout prix m'y rendre. Je savais déjà que mon père ne me l'autoriserait pas alors j'en avais juste parlé à maman qui m'avait donné son accord. Mes copines et moi étions toutes excitées. Nos sorties du genre étaient rares, presque inexistantes. Chacune s'était parée de ses plus beaux atours.

En route pour la soirée ! Nous étions contentes, heureuses et impatientes d'y être. Nous étions vêtues de nos beaux vêtements. J'avais fait le choix d'une jupe droite de couleur noire, un chemisier fleuri et un béret rouge. Je me coiffais constamment de béret pour couvrir ma tête. Mon problème de repousse de cheveux m'avait imposé ce look. Après un quart d'heure de marche, nous étions enfin à la salle des fêtes. Celle-ci était pleine à craquer, bondée de monde. Des originaires de ma ville natale étaient venus de tous horizons pour prendre part à ce grand rendez-vous annuel.

À mon arrivée, je fus tout de suite attirée par un jeune homme beau, grand et robuste. Je crois que lui aussi tomba sous mon charme. Il était vêtu d'un jeans blanc destroy, chaussé de bottillons noirs aux bouts carrés qui lui remontaient jusqu'aux genoux. Il portait un blouson noir qui, légèrement fermé, laissait entrevoir une chemise blanche. Il y eut entre nous des échanges de regards accompagnés de sourires. Nous nous dévorions des yeux toutes les minutes, mais personne n'osa approcher l'autre. La soirée se déroulait bon gré mal gré. Le speaker au micro annonça que les garçons devaient choisir dans la salle les filles qui les intéressaient, pour un tour de danse. C'est alors que Bernard, mon admirateur se dirigea vers moi et m'invita à danser. J'avais aussitôt accepté, sans aucune hésitation. Ayant passé ses bras autour de ma taille et les miens autour de son cou, nous nous étions laissés entraîner par la musique, une douce mélodie de la chanteuse ivoirienne Monique Seka. On aurait dit que cette chanson avait été inspirée juste pour nous deux, pour cet instant précis. J'aurais aimé que ce moment soit éternel. Mon cavalier profita de la danse pour faire connaissance. Il me dit que je ressemblais à une aquarelle avec un sourire époustouflant. Nous étions sortis de la salle et nous avions bavardé toute la soirée. Il maniait parfaitement la langue de Molière. J'étais grandement étonnée quand il m'informa plus tard qu'il était un pur produit des séries scientifiques. Sa parfaite maîtrise de la langue française m'avait fait penser qu'il était littéraire. J'avais ce soir-là connu, sans doute pour la première fois de ma triste vie, un moment de bonheur. J'étais restée toute la soirée accrochée aux paroles d'un homme pour qui mon cœur battait la chamade. Mais mon bonheur avait été de très courte durée. Mon prince occasionnel ne vivait pas dans la ville. Il étudiait à Douala. La soirée était terminée. Le coup de minuit avait sonné... Pour moi, Cendrillon venait de perdre sa chaussure, et le prince allait la retrouver afin de revenir pour la princesse.

À cette époque, le téléphone portable était rare. Les seuls moyens de communication entre ceux qui vivaient dans des villes éloignées étaient le téléphone fixe et l'échange des courriers. Cette dernière option n'était pas si aisée. Pas très loin de la maison, il y avait une cabine téléphonique gérée par une jeune dame d'une trentaine d'années environ. Je communiquais le numéro de téléphone de cette cabine à mon compagnon de la soirée et lui, vivant chez sa grande sœur à Douala, me passa le numéro de téléphone fixe de la maison. Dès son retour à Douala, il avait en vain essayé de m'avoir au bout du fil, pendant plusieurs jours. Il promit de me rappeler plus tard. Cette fois-ci, le jour et l'heure étaient connus. Ce premier rendez-vous était si stressant et si excitant pour moi. Je l'attendais avec une telle impatience.

Je ne tenais plus debout. Je ne voulais qu'entendre le son de sa voix. Presque un mois était déjà passé depuis notre première rencontre. La distance nous oppressait, elle nous assommait littéralement. Je souriais enfin de la présence d'un homme dans ma vie, un homme qui s'intéressait à moi, mon homme à moi.

Le jour fixé, j'étais encore plus stressée qu'avant. On aurait dit que j'attendais les résultats d'un examen. Je m'étais alors précipitée vers la cabine téléphonique, près d'une demi-heure avant l'heure du rancard. L'attente me parut très longue. Puis, il appela, enfin ; une brève conversation, mais très intense en émotions. On pouvait percevoir la candeur de l'amour. Il promit de m'envoyer une correspondance par sa maman qui était de retour à Mbouda, quelques jours plus tard. Elle tenait un mini restaurant en ville. Je la retrouvais assez rapidement. Elle m'avait accueillie très chaleureusement et me remit ma lettre, ma toute première lettre d'amour. D'un pas alerte, je cherchais un endroit calme où je pouvais dévorer les écrits de celui qui avait comblé le vide qui me terrassait tant. Lorsque j'ouvris l'enveloppe, je fus subjuguée. «Mon homme» m'avait écrit sur trois pages de format A4. Quelle belle main d'écriture, pensais-je. On aurait dit les écrits d'une divinité grecque. Je grignotais chaque ligne de cette douce missive avec un énorme appétit. De belles paroles, des paroles sincères, écrites dans un français soutenu, agréable à lire, sans aucune faute de grammaire. Ça changeait un peu de toutes les ridicules lettres d'amour que m'envoyaient certains camarades jusque-là. Mon âme était transpercée. Je tombais des nues. Je me sentais revivre. Je trouvais en ces écrits une sécurité, un rempart. Mes yeux pétillaient. Je vivais enfin.

Mon agréable étonnement allait s'intensifier lorsqu'après la lecture, je remarquais qu'il avait glissé dans l'enveloppe un billet de 10 000 francs CFA. Cet argent, m'expliqua-t-il plus tard, était une partie de son argent de poche qu'il avait bien voulu partager avec moi. Cette attention me toucha énormément. Plusieurs autres courriers me parvenaient, soit par l'une de ses connaissances qui quittait Douala pour Mbouda, soit encore par l'adresse du lycée. Je les récupérais au service courrier, après avoir lu mon nom sur le babillard.

Ma vie avait enfin un sens. J'avais un homme qui faisait attention à moi, qui me considérait. Le vide masculin était comblé. Pendant les congés de Pâques ou de Noël, mon homme venait me voir. Nous étions de plus en plus proches. Et cette proximité ne manqua pas de créer des jaloux autour de nous. On aurait dit une armada de mécontents. Ils avaient investi notre relation et se livraient à des commérages continus. Survinrent alors des disputes, des éclats de voix, des crises à n'en plus finir et le doute s'installa. Je n'hésitais pas à apporter mon aide à sa maman dans ses tâches. Et, lorsqu'il survenait un évènement heureux ou malheureux dans sa famille, je me rendais toujours disponible pour un coup de main. Bref, je me comportais comme une épouse alors que je n'étais qu'une petite amie. Je m'investissais à fond dans notre relation et lui, ne tarda pas à me considérer comme acquise. Il était devenu insultant, méprisant. Le garçon amoureux qu'il était s'était transformé en celui qui scrutait désormais mes moindres défauts. Lors de l'une de nos rencontres, il avait sérieusement touché mon amour-propre, en s'attaquant à mon physique. Il m'avait ainsi jeté à la figure qu'il avait besoin d'une femme et non d'un homme, car ma coiffure le mettait mal à l'aise. Il avait même osé trouver à redire sur l'inaccessibilité de mes parents. Pour lui, mon papa était trop sévère. Je lui fis comprendre qu'il sera le bienvenu chez nous lorsque lui et moi aurons un projet plus concret. Je faisais de mon mieux pour apaiser les tensions, mais rien n'y faisait, le ver était déjà dans le fruit. Notre relation se dégradait au fil des jours.

Quelques jours avant les épreuves officielles du probatoire, mon petit ami vint à nouveau à Mbouda. J'allai lui rendre visite le soir, prétextant auprès de mes parents que je partais étudier. Nous avions eu ce soir-là une conversation des plus tonitruantes. Je le trouvais encore plus différent. Il n'était plus le Bernard que j'avais connu.

Avec mes économies, je m'étais offert une nouvelle paire de chaussures baskets. Je voulais alors attirer l'attention de mon prince. Cependant, j'avais remarqué que durant la conversation, Bernard ne cessait de jeter le regard sur mes chaussures. Il aimait mes baskets et était sûrement impressionné, mon coup a marché... me dis-je intérieurement. Je m'attendais à recevoir un compliment de sa part. Mais rien. Après plusieurs minutes d'attente, je me résolus à le questionner sur ce regard incessant porté à mes pieds. Il me demanda brusquement :

— Comment as-tu eu cette chaussure ?

— Je l'ai achetée. J'ai dû faire des économies pour me l'offrir. Je vois qu'elle te plaît. Un sourire se dessina alors sur mon visage.

Bernard éclata de rire, un rire sarcastique, un rire moqueur, un rire très humiliant pour moi. Puis, il me dit que ma chaussure, celle que j'avais achetée pour lui plaire, était de la contrefaçon, des Babangida.

C'est vrai, je n'espérais pas avoir des chaussures originales, au vu de ma précarité financière. Je ne doutais pas qu'elles soient de la contrefaçon. Mais, la manière avec laquelle mon petit ami me l'avait dit m'avait profondément froissée. J'avais conclu à cet instant précis que cet amour était désormais impossible. J'avais aussi pris la résolution ferme de ne plus jamais acheter ou porter un article de contrefaçon. Il était préférable que je me contente des articles de seconde main jusqu'à ce que je puisse m'en offrir d'authentiques.

Il m'accompagna, passant par des pistes de la ville, sous une obscurité profonde. Là, contre toute attente, il me lança : Puis-je te poser une question ? Un peu perdue, je lui répondis : Oui vas-y. Qu'est-ce que tu attends de moi ? me demanda-t-il.

Toute surprise par cette interrogation du moins inattendue, je lui répondis, en des mots entrecoupés : Je ne sais pas euh… mais je pense que lorsque deux personnes s'aiment, la suite logique c'est qu'ils passent le restant de leur vie ensemble, non ? Bernard, me fuyant du regard : Écoute Lisa, je voulais que tu saches que j'ai rencontré une autre fille à Douala. Elle est la miss de son lycée et sa famille m'apprécie bien.

L'effarement, l'éclat de tonnerre, je ne m'y attendais pas du tout ! Mais là, mon premier amour était en train de me quitter. Je sentais la terre trembler sous mes pieds. Je cherchais le regard de mon premier amour, mais son visage était baissé, comme s'il craignait de voir au travers de mes yeux tout le mal que je ressentais, à cet instant précis. Le ciel me tombait sur la tête. Moi qui avais longtemps recherché cette compagnie masculine. Moi qui avais tant soupiré après une relation de cette nature. Je me sentais humiliée, rabaissée, comme avoir été utilisée. Courageusement, je lui répondis : Ok si c'est ta décision, je la respecterai. Puis, chacun prit sa route. Je marchais avec ce poids jusqu'à la maison. L'obscurité ne me faisait pas peur.

Le vide à nouveau reprenait place dans ma vie. Les jours qui avaient suivi furent très lourds pour moi. J'avais perdu l'appétit. Je n'avais déjà pas assez de kilos, et je maigrissais encore plus. J'étais aux aguets, espérant que mon Bernard reviendrait sur sa décision. J'avais arrêté d'étudier. Je ne fréquentais plus le groupe d'études avec des amies. Pourtant, le jour J de l'examen de fin d'année arrivait à grands pas. Il fallait donc me relever, en dépit de la douleur. Ma mère remarqua que j'avais un problème. Ma mine toujours triste avait attiré son attention. Elle se rapprocha de moi. Et, après mon récit, elle me remonta le moral en ces termes : Écoute ma fille, je sais que tu te sens mal à cause de ce que ce jeune homme t'a dit. Dans la vie, tout ne peut pas te réussir. Essaie de voir tout ce qui est positif autour de toi et considère tes atouts. Tu es belle et intelligente. Tu vas réussir. Tu auras tes diplômes et tu trouveras un bon travail. Ces douces paroles maternelles m'avaient énormément motivée. Je me mis de nouveau à étudier. J'accusais un retard assez considérable, mais mes camarades m'épaulèrent. Je finis par aborder l'examen sereinement et en toute confiance et fort heureusement je pus passer mon probatoire avec brio.

Après la proclamation des résultats, je me rendis à Douala, chez une tante. L'envie de contacter mon premier amour me pressait. Son numéro de téléphone, je le connaissais par cœur. Le désir d'entendre le son de sa voix me hantait presque. J'étais comme envoûtée. Je voulais le sentir au bout du fil, entendre sa voix grave, encore et encore… Mais, à chaque tentative, je faisais face à ma conscience qui me passait un savon. Pourquoi continuer à souffrir et à courir derrière un homme qui ne se soucie plus de moi ? Une foule de questions me traversait l'esprit. Et c'était ainsi, chaque fois que je saisissais le combiné du téléphone de ma tante et que je m'apprêtais à composer le numéro de Bernard.

Dans ces moments de solitude, des souvenirs douloureux me revenaient sans cesse. Lorsqu'en plus de la pauvreté, votre quotidien devient un enchevêtrement d'évènements troublants et stressants, vous n'avez qu'une envie incessante de disparaître. Vous entendez alors cette voix enfouie au fond de vous, vous questionnant sans cesse : Pourquoi toujours moi ? Pourquoi tout ceci m'arrive-t-il ? Pourquoi ce changement brusque de mon premier amour ? Lui, toujours gentil, si attentionné, était devenu par la suite un bourreau émotionnel. Il me critiquait pour tout, se moquait de mes cheveux qui tardaient à retrouver leur état normal. On aurait dit qu'il avait soudainement été frappé d'aveuglement au point de ne pas remarquer mes efforts constants pour maintenir la paix dans notre relation. Il m'avait fait comprendre l'exigence de sa mère de le voir épouser plusieurs femmes. À chacune de nos conversations, il revenait sur son futur statut matrimonial. Il serait polygame. C'était donc sans appel. Il me martelait tellement avec cette déclaration. Sans doute dans l'espoir de me voir le quitter, afin qu'il passe pour une victime. Mais moi, je n'en dis point un seul mot. Bien qu'irritée profondément, je gardais tout cela dans mon for intérieur. Je croyais en notre futur.

Certes, j'avais le cœur brisé, mais je passais calmement mes vacances à Douala, dans une tranquillité réconfortante. Un jour, je me rendais au marché pour des courses. Je rencontrai une amie de longue date. Elle m'informa qu'elle avait entendu mon nom à la radio, sur le poste national. Je ne pus cacher mon étonnement. Elle insista fort bien. En effet, las d'attendre que je lui donne de mes nouvelles une fois en vacances à Douala, mon amoureux qui m'avait éconduite avait rédigé un avis de recherche, qu'il fit passer sur les ondes de la radio. J'avais alors expliqué à mon amie les raisons pour lesquelles je ne pouvais pas faire signe à Bernard.

J'avais obtenu mon diplôme de passage en classe de terminale avec brio. J'avais décidé de tourner la page sur ce premier amour qui m'avait tant brisé le cœur et de m'adonner davantage à mes études. Alors que j'entamais à peine cette nouvelle année scolaire, je fus une après-midi surprise de le voir m'attendre au lycée, à la sortie des cours. Il me fit comprendre qu'il avait manqué les cours pour venir me voir et qu'il se demandait pourquoi je ne lui avais pas fait signe pendant toutes les vacances. Étonnée, je lui demandai pourquoi aurais-je dû lui faire signe, puisqu'il avait décidé de rompre, sous prétexte qu'il voyait une autre. Le visage hagard, il me dit : Non, écoute, tu ne devais pas prendre ça comme ça. Il n'y a jamais eu une autre femme que toi dans ma vie… Stupéfaite, je lui demandais si c'était une blague.

Après tout ce temps où j'avais pleuré, où je m'étais sentie mal comme une moins-que-rien, il débarque là comme ça et me demande de ne pas considérer tout cela! Je restai ferme à ses supplications et ne donnai suite à aucune de ses multiples lettres. Ma décision était prise, il fallait tourner cette page...

La mésaventure avec Bernard, mon premier amour, m'avait dévastée. Je n'avais plus assez d'énergie pour me battre. J'avais résolu de m'éloigner des amitiés fortes. Pourtant, au cours de mon année scolaire en classe de terminale, mon regard croisa celui d'un nouvel élève du lycée. C'était un jeune homme à la beauté remarquable. Il avait une peau très claire. On l'aurait pris pour un métis. Je fus conquise par sa propreté. Il était impeccable avec ses beaux tennis toujours blancs, alors qu'il foulait, avec sa démarche posée et classe, la même terre rouge et poussiéreuse de Mbouda, comme nous tous. Mon nouvel ami était originaire de Nkoabang, dans la région du Centre. Pour des raisons disciplinaires, ses parents avaient décidé de l'envoyer vivre avec sa sœur à Mbouda, pour y continuer ses études.

À plusieurs reprises, pendant que j'étais à l'étage des classes de terminale et qu'il se dirigeait vers le rez-de-chaussée où se trouvaient les classes de première, nos regards s'étaient croisés. Une très forte amitié s'était rapidement développée entre nous. En l'espace de quelques mois seulement, nous ne nous quittions plus. Il m'arrivait même de vouloir que cette amitié se transforme en intimité, mais j'étais un peu embêtée que mon ami soit dans une classe inférieure. J'appréhendais le futur, nous allions probablement nous séparer après mon baccalauréat. Du coup, je voulais juste me contenter de vivre le présent. Nous passions alors des moments magiques. Notre forte amitié se transforma très vite en une relation intime. Il me présenta sa sœur, m'apprit à manger les mets de chez lui, le sanga, l'okok et bien d'autres. Je raffolais nos longues marches romantiques pendant lesquelles on se voyait en train de se raccompagner plusieurs fois, parce qu'on avait du mal à se quitter. Je me sentais si comblée, jusqu'au jour où le démon se réveilla encore, pour détruire ma passion amoureuse.

Elle était partie de Yaoundé pour me rencontrer. Elle avait appris que son petit ami avait une nouvelle petite amie à Mbouda. Elle voulait faire de moi son «alliée» afin que chacune de nous le quitte. Elle avait si bien préparé son jeu. Pour elle, notre ami commun était un menteur, un manipulateur. Elle sortit de son sac une série d'objets qu'il lui avait offerts. C'étaient exactement les mêmes cadeaux qu'il m'avait ramenée de Yaoundé. Sans même vouloir comprendre à quoi rimait tout ceci, j'avais déjà pris la résolution de m'éloigner de lui. Il fit de son mieux pour me convaincre de renouer avec lui. Non, je ne voulais pas revivre le même cauchemar. Je n'avais plus assez d'énergie pour des relations amoureuses. Il valait mieux pour moi de me concentrer sur mes études. En plus, j'avais un examen officiel à passer.

Je continuais donc tranquillement mon parcours au lycée, durant mon année de terminale, tout en bataillant avec une santé fragile. Je ressentais régulièrement des congestions nasales, des écoulements, des maux de tête, une forte douleur derrière les yeux, au-dessus des sourcils et du nez. J'avais régulièrement une hémorragie nasale. Puisque j'avais toujours été très sensible aux changements climatiques depuis mon enfance, mes parents avaient supposé que ces allergies, comme à l'accoutumée, passeraient très vite. Ils me soignaient à l'aide des médicaments de la rue et de diverses concoctions naturelles à base de citron, miel, gingembre, ail et autres plantes. Malheureusement, ma santé se détériorait. Pour remédier à la douleur de mes yeux, ma mère fit à nouveau recours à mon oncle. Je fus donc contrainte de me rendre à Douala, en plein milieu de l'année scolaire, manquant ainsi de nombreux cours. Mon oncle m'emmena en consultation chez l'ophtalmologue qui me prescrivit des lunettes. Ce dernier me recommanda de voir un spécialiste, afin de connaître l'origine de mes maux de tête constants et de cette grippe qui revenait sans cesse. Car selon lui, le mal des yeux n'était qu'un des symptômes d'un problème beaucoup plus sérieux. Le rendez-vous fut donc pris chez un neurologue à Bonapriso.

Ce matin-là, un klaxon répété me fit comprendre qu'il était temps de retrouver mon oncle qui m'attendait déjà dans son 4x4 Prado, une voiture très prisée par les riches de cette époque et les hautes sphères du gouvernement au Cameroun. Une sorte de symbole d'opulence. Mon oncle avait fait fortune dans la quincaillerie, un domaine réputé pour les hommes d'affaires Bamilékés. Il vivait dans un coin de riches situé dans le quartier Bonabéri. Il avait construit un très beau duplex, avec un joli portail joignant une barrière murale suffisamment haute pour dissuader d'éventuels cambrioleurs. Bien que la maison fût très moderne et très belle, il y avait quand même une cuisine externe pour préparer les mets traditionnels au feu de bois. Il y avait également un coin réservé pour l'élevage des poules, chose très fréquente, dans la culture des Bamilékés. Ils sont connus pour leur passion pour le commerce, l'agriculture et l'élevage. La maison comportait également de nombreuses chambres pour accommoder ses deux épouses, ses nombreux enfants, les vacanciers et toutes les personnes que mon oncle adoptait et scolarisait. Il faut dire que tonton est un homme au grand cœur. Je me demande encore comment lui prouver ma reconnaissance infinie. Des personnes aussi généreuses de manière désintéressée, il n'en existait pas beaucoup autour de moi.

Je me hâtai donc de rejoindre mon oncle et le chauffeur qui étaient déjà sur le point de s'en aller. Je m'approchai de la voiture, embarrassée. Je ne savais quel siège occuper, avant ou arrière. Tonton me fit signe de le rejoindre derrière, où il s'asseyait toujours. Le chemin fut très long pour sortir du quartier. La route non goudronnée était jonchée de nids de poule, de bosses en terre, de creux, de flaques d'eau, d'herbes. Pourtant, toutes les maisons du coin se défiaient en splendeur, les unes autant que les autres. C'est à croire que l'une des raisons pour lesquelles les riches préféraient ces voitures hautes et puissantes, c'était pour braver tout type de terrain. Finalement, nous atteignîmes l'axe principal connectant le quartier Bonabéri au centre-ville de Douala, à travers un pont très vieux et défectueux, à cette époque. Il fallait vraiment beaucoup de patience. Au fur et à mesure que nous avancions, les embouteillages empiraient. C'était l'occasion idoine pour échanger avec mon oncle. Il me posa beaucoup de questions sur mes études, sur mes ambitions. Il ne manqua pas d'éloges à mon égard, en rapport à mes performances scolaires. Il promit même de payer mes études universitaires si je réussissais mon baccalauréat.

Nous arrivâmes enfin à Bonapriso, un quartier chic, après avoir bravé les embouteillages sur le pont du Wouri. Un bel édifice à plusieurs niveaux, revêtu de carreaux blancs, abritait le cabinet du neurologue. Mon oncle m'emmena aussitôt dans une magnifique salle d'attente où je pris place pendant qu'il fit signe à la réceptionniste de nous annoncer. Le Médecin sortit immédiatement de son bureau pour saluer mon oncle. On aurait dit qu'ils se connaissaient bien. Il fit rapidement les présentations et me confia au médecin qui lui promit de prendre bien soin de moi et de lui faire parvenir les détails. Mon oncle me dit avant de s'en aller que le chauffeur le déposait et reviendrait m'attendre.

Pendant que j'attendais mon tour pour être reçue par le médecin, je remarquai la présence d'un monsieur qui me dévorait du regard. Il était jeune, mince, de teint clair, très bel homme. Il semblait approcher la trentaine. Je me demandais ce qu'il pouvait trouver chez la jeune femme d'à peine 17 ans que j'étais. Je portais un pantalon moulant, un petit tricot, des ballerines et un mignon sac à dos. Malgré ma mince silhouette, mes formes étaient assez généreuses. Elles auraient pu induire en erreur n'importe quel «gentleman». Quant à lui, il portait un polo, un jeans et des chaussures de marque Sebago. Apparemment, tous les mecs chics de cette époque devaient tous avoir au moins une paire dans leur garde-robe. Dans tous les cas, j'étais quand même intriguée par le personnage. Mais la blessure de ma première relation amoureuse était encore béante. Et mon cœur était toujours meurtri. Je n'avais pas l'intention de me replonger de sitôt dans cet univers complexe dans lequel vivent les adultes. Néanmoins, je restai polie quand il décida de se rapprocher de moi, pour faire connaissance. Je répondais tant bien que mal à ses questions avec ma voix que cette grippe interminable avait rendue rauque. Bizarrement, il trouvait ma voix rocailleuse plutôt séduisante. De toutes les façons, me disais-je, tu peux me couvrir d'autant de compliments que tu veux, moi de toutes les façons, je ne vais plus m'aventurer. Je ne veux plus avoir le cœur brisé en mille morceaux. Surtout que ce jeune homme particulièrement semblait être du genre qui plairait facilement à toutes les femmes. On aurait dit un «tombeur» ou un bourreau de cœurs. En quelques minutes à peine, j'avais remarqué qu'il était très intelligent, très cultivé et très attentionné. Il m'avait demandé où je comptais poursuivre mes études supérieures après le baccalauréat. Je lui parlai du British College, un institut supérieur qui dispensait des cours exclusivement en anglais et que je souhaitais vraiment saisir cette opportunité, afin d'améliorer mes connaissances en anglais. Ce qui m'offrirait sans doute, à l'avenir, plus d'ouvertures. Il fut si impressionné par mes réponses. Il me demanda alors : Pourquoi attendre d'être au British College pour apprendre l'anglais ? Et si tu commençais plutôt à t'exercer dès maintenant, avec moi ? C'est ainsi qu'il offrit d'échanger uniquement en anglais avec moi, si je permettais que l'on reste en contact. Il s'exprimait parfaitement en la langue de Shakespeare. Nous avions alors échangé nos numéros de téléphone, juste à temps, avant qu'il n'entre dans le bureau du médecin, pour sa consultation.

À mon tour, une infirmière vint me chercher et m'emmena dans une salle pour prendre mes paramètres et remplir ma fiche médicale. Elle me dirigea ensuite chez le médecin qui devait faire une série d'examens, afin de trouver la cause de mes douleurs nasales et de la grippe récurrente.

Son bureau était équipé d'appareils sophistiqués qui me semblaient aussi effrayants les uns que les autres. La fenêtre arrière montrait une belle vue sur un paysage verdoyant. Avec une taille et une corpulence moyenne, le médecin m'avait paru plutôt jeune. Assez impressionnant dans sa blouse blanche, ses cheveux et sa barbe un peu grisonnants lui donnaient l'allure d'un homme d'une quarantaine d'années environ. Il semblait très bien maîtriser son métier. Ses lunettes suspendues par une corde, il m'avait alors accueillie avec un large sourire. Après m'avoir rappelé ses bons rapports avec mon oncle, le cousin de papa, le spécialiste m'avait rassurée d'être entre de bonnes mains. Dans tous les cas, son attitude et sa personnalité qui imposaient le respect m'avaient davantage tranquillisée. À la suite des examens, il suspecta effectivement une sinusite devenue chronique. On avait malheureusement passé le temps à soigner les symptômes, avec des « concoctions magiques ». Heureusement, tout n'était pas perdu. Le médecin promit ainsi de prendre le temps de finaliser son rapport qu'il ferait parvenir à mon oncle, avec un plan de traitement. Après la consultation, je retrouvai le chauffeur de mon oncle qui m'attendait déjà. Il avait baissé la vitre, plié le siège et faisait tranquillement une petite sieste. Le vent venant du fleuve du Wouri dont les berges n'étaient pas bien loin le berçait calmement. Il me conduisit au bureau de mon oncle ou plutôt à l'un de ses magasins de vente de ferraille. Je devais y passer la journée jusqu'à notre retour le soir, pendant que tonton traiterait des dossiers.

Une fois le véhicule garé, le chauffeur me conduisit vers un passage étroit avec des deux côtés, une grande quantité de ferraille de diverses longueurs et grosseurs. Au bout de ce passage, je me retrouvai devant un endroit qui ressemblait plus à un espace de stockage, mais qui avait quand même sur le côté deux comptoirs derrière lesquels se tenaient des employés, pour la plupart, des membres de la famille que mon oncle formait. En face de ces comptoirs, il y avait plusieurs bancs sur lesquels de nombreux clients assis attendaient leur tour pour passer à la caisse payer leurs commandes et se faire livrer. Au fond, se trouvait un tout petit espace avec une porte, qui servait de bureau pour mon oncle. Le chauffeur lui signala notre présence et il ordonna qu'on me remette une somme de dix mille francs CFA afin que j'aille chercher quelque chose à manger. Mais, à peine j'avais récupéré cette somme d'argent à la caisse, qu'une dame se présenta avec un joli panier couvert d'une belle nappe tricotée, laissant entrevoir une soupière au couvercle transparent. Apparemment, elle avait décidé de piler le taro et de l'apporter à mon oncle pour lui témoigner sa reconnaissance, car il avait accepté de payer les études de son fils. Mon oncle m'invita donc à partager ce repas au lieu d'acheter ce qu'il appelait « friandises ».

Aussitôt de retour à la maison le soir, je reçus le premier coup de fil de mon nouvel ami. Il était originaire de l'Ouest Cameroun et plus précisément du même département que moi, les Bamboutos. Théo était âgé de 27 ans et venait d'obtenir un très bon emploi dans une banque. Pour occuper son poste, il devait se rendre à Bafoussam, la capitale de la région de l'Ouest, située à environ 30 minutes de route de ma ville natale. Je lui promis de lui faire signe dès mon retour à Mbouda. Le lendemain, tonton était rentré avec le rapport du médecin et quelques médicaments qui me soulageraient temporairement, juste le temps d'achever mon année scolaire et de revenir à Douala continuer le traitement.

Afin de garder mon rang habituel, première de la classe, j'avais redoublé d'ardeur dans mes études. Ma santé s'améliorait. J'essayais alors tant bien que mal de rattraper les cours que j'avais manqués. J'étais restée en contact avec Théo. Je lui parlais très souvent, de la cabine téléphonique d'à côté. Nous nous rapprochions de plus en plus. Il semblait vraiment sérieux et voulait d'une relation plus forte entre nous, au-delà de mon apprentissage de la langue anglaise. Il n'avait personne dans sa vie, moi non plus. J'avais alors pensé : Pourquoi ne pas essayer de voir où tout ceci nous mènerait ?

Un samedi matin, je pris le bus pour Bafoussam. Théo m'avait invitée à visiter son tout nouveau bureau. À cette époque, dans mon environnement, avoir un poste dans une entreprise avec ton propre bureau, c'était signe d'une vie réussie. J'avais hâte de décorer ce bureau. Je m'empressais de descendre du taxi qui m'avait transportée de la station jusqu'à la banque où Théo travaillait.

Oups ! J'avais oublié mon sac dans le coffre du taxi. Comme j'entendais toujours ma mère dire, on ne rend pas visite à quelqu'un les mains vides et on doit toujours prévoir son argent de transport pour l'aller et pour le retour, j'avais mis dans mon sac des objets de décoration et des petites choses à grignoter pour Théo. J'avais également enfoui dans une poche secrète de l'argent pour payer mon transport de retour sur Mbouda… Trop tard, je n'y pouvais plus rien. Mon sac avait disparu et, pendant que je me dirigeai vers la réceptionniste, je me demandai comment je rentrerai chez moi, si celui à qui je venais rendre visite n'était pas là, ou encore s'il ne pouvait pas m'aider. Il ne me restait plus qu'à prier afin de ne pas être ridicule dans cette ville. La réceptionniste appela le bureau de Théo pour m'annoncer.

Ouf ! Quel soulagement ! Il était bel et bien là.

Je le vis s'approcher à grands pas, juste au moment où je voulais m'installer dans la salle d'attente. Vêtu d'un costume sur mesure, une belle chemise blanche et une cravate assortie à la couleur de son costume, des chaussures tellement bien cirées qu'elles brillaient à distance, il avait tout simplement une belle allure, couronnée d'une démarche très élégante. Sans me faire prier, je me levai et il me serra très fort dans ses bras. Hum ! Il sentait si bon. Il me prit par la main et m'emmena dans son bureau. C'était un bureau plutôt simple, très bien aménagé, avec une belle table assortie à une chaise en cuir. La fenêtre était ornée de stores de couleur beige qui ressortaient ainsi le côté professionnel de la pièce. Théo clôtura sa demi-journée de travail. Il m'invita ensuite dans un restaurant non loin de son bureau et me raccompagna plus tard à la gare. J'étais encore à me demander comment j'allais payer mon transport. Mais, en bon gentleman, mon hôte s'était déjà occupé de tout. Il me remit en plus, une liasse de billets flambants neufs.

Dès mon retour à Mbouda, ma santé se mit de nouveau à se détériorer. L'année scolaire tirait déjà à sa fin. Il me fallait donc faire plus d'efforts afin de passer les épreuves du baccalauréat, avant de me rendre définitivement à Douala poursuivre mon traitement et aller éventuellement à l'université, comme me l'avait promis mon oncle. Malheureusement, quelques jours avant l'examen, la douleur à la tête s'était tellement intensifiée que ma mère avait dû m'emmener de toute urgence à l'hôpital. Elle en informa Théo qui, sans hésiter, fit le déplacement et pourvut pour mes soins. Quelques jours plus tard, j'allais mieux. Je me dis alors que j'étais prête pour l'examen. D'ailleurs, j'avais brillamment réussi les épreuves du troisième trimestre et, comme c'était déjà de coutume, j'étais non seulement la première de ma classe, mais en plus, j'avais la meilleure note de toutes les classes de terminale. Lors de la remise solennelle des prix de fin d'année, j'étais à nouveau en tête avec une distinction, tableau de félicitations, considérée comme le plus haut niveau de distinctions, suivi du tableau d'honneur et du tableau d'encouragement.

Le jour de l'examen du baccalauréat, je passai la plupart des épreuves sans aucun souci. Il resta celle des mathématiques. C'était la seule matière qui me donnait toujours du fil à retordre et qui me demandait un effort surhumain, pour avoir une note acceptable. C'était ma bête noire. Et, contre toute attente, je ressentis des douleurs à la tête encore plus violemment. Ce jour de composition fut catastrophique pour moi. Mon échec à cet examen ne me surprit donc pas. Mais, il fut très douloureux. Je venais d'essuyer ma première et ma plus grande défaite scolaire. Ce fut un coup assez dur pour l'élève presque fière et hautaine que j'étais devenue. J'avais toujours été excellente et j'avais du mal à comprendre comment les gens pouvaient échouer à l'école. Pour moi, l'école, c'était une balade de santé. J'aimais l'école et l'école me le rendait bien, du moins jusqu'à ce jour où je ne vis pas mon nom sur la liste des admis au baccalauréat. Jusque-là, j'avais fait un parcours sans faute, admirable, qui impressionnait sans cesse mes enseignants. Ils furent anéantis par l'échec d'une personne qui avait pourtant raflé tous les prix de meilleure élève, au fil des années. Cet échec m'infligea une violente leçon d'humilité. Je compris alors que je devais du respect à ceux qui échouaient souvent, car ils ne manquaient pas de mérite.

Maintenant que la mauvaise nouvelle était déjà connue, il ne me restait plus qu'à retourner à Douala pour mes soins médicaux et probablement y refaire la classe de terminale. Faire mon sac ne fut pas vraiment si difficile. Je n'avais pas grand-chose à prendre. Je me résolus à emporter ce que j'avais de meilleur, vêtements et chaussures, que ma mère sortait de la poubelle de mes cousines. Ces vêtements n'étaient pas en si mauvais état, mais juste démodés.

Ma mère m'avait réveillée de bonne heure. Elle me prévint que notre voisin, propriétaire d'un Toyota Hiace d'environ 16 places, faisant la ligne Mbouda-Douala, me prendrait à la maison avant de se rendre en ville faire le plein de son véhicule. Je me souviens encore des conseils de ma génitrice, avant mon départ. Elle me fit davantage remarquer que j'étais belle et intelligente et que j'avais un bel avenir qui m'attendait. Elle m'exhorta à ne pas céder au découragement. Elle espérait aussi que grâce à l'aide de mon oncle, je me porterais mieux. Elle me donna toutes ses économies pour payer mon transport.

Le chauffeur, après avoir garé et klaxonné devant notre maison, vint porter mes sacs qu'il lança directement au-dessus de la voiture, dans ce qui servait de porte-bagages, de la ferraille soudée sur le toit du véhicule, avec des cordages prévus pour sécuriser les colis. Comme ma destination finale était Douala, mes sacs devaient être en dessous des autres bagages et je devais occuper la dernière rangée des sièges. Je partais dans un nouvel environnement, sans trop savoir ce qui m'y attendait. Comment vais-je me sentir en tant que redoublante de la classe de terminale, moi qui ai toujours été la meilleure de ma classe ? Comment se passera mon traitement ? Ma santé va-t-elle à nouveau affecter mes études ? Vais-je pouvoir me faire de nouveaux amis et m'adapter dans la capitale économique du Cameroun ? Tout compte fait, j'ai suffisamment d'atouts pour tirer le meilleur parti de ma nouvelle vie dans la capitale. C'est ainsi que, en proie à toutes ces interrogations qui me turlupinaient l'esprit, je quittais définitivement ma ville natale, laissant derrière moi ma sœur et mon frère cadets, mon grand-frère, mes amies, et tout ce qui avait bercé mon enfance.

Chapitre 4
Douleurs et Découvertes

Le Toyota Hiace de 16 places ne tarda pas à faire le plein de passagers, dès notre arrivée à la gare de Mbouda. Il s'y trouvait des démarcheurs qui avaient déjà «réservé » quelques places pour des clients avant même son entrée en gare. Quand un démarcheur installait un passager, le chauffeur lui remettait deux pièces de 100 francs CFA. À ma grande surprise, bien que la voiture soit prévue pour 16 places assises, nous y étions vingt et, par-dessus tout, le conducteur déposa un tabouret juste à côté de la portière coulissante. Il y fit asseoir une vingt-et-unième personne qui allait, semblait-il, à Loum, une ville du département du Moungo, dans la Région du Littoral. Le pauvre! Comment tiendrait-il dans cet inconfort?

Très vite, le chauffeur et son assistant (communément appelé moto boy au Cameroun) qui l'avait rejoint, montèrent sur une barre qui leur servait d'escabeau. Ils avaient pris le soin de sécuriser tous les bagages au-dessus de la voiture. Ils avaient ainsi attaché des sacs de voyage et de vivres frais tels que pommes de terre, avocats, ignames, régimes de plantains. Il y avait aussi des cages de poussins, et même une chèvre. Personne ne portait une ceinture de sécurité. D'ailleurs, il n'y en avait même plus dans cette voiture.

Une fois les portières refermées, le chauffeur lança une liste de chansons variant entre les anciens succès et les nouveautés. Je me laissai surtout bercer par sa sélection de Zouk. Malheureusement, certains passagers loquaces avaient démarré des débats interminables, allant du coq à l'âne, entre la politique, les relations entre les hommes et les femmes, des histoires de sorcellerie des riches personnalités du pays, etc. De temps en temps, le chauffeur s'arrêtait au péage et de nombreux vendeurs à la sauvette se ruaient sur les fenêtres de la voiture pour présenter leurs marchandises. Entre le maïs grillé ou bouilli, des safous et autres fruits, du pain, des arachides bouillies, des bâtons de manioc, des ignames, l'offre était suffisamment variée. Pour ceux qui voulaient en profiter, parce qu'ils voulaient grignoter quelque chose, question de tuer le temps ou encore pour acheter des cadeaux ou tout simplement pour faire des emplettes, il fallait se décider très rapidement, et surtout avoir la monnaie. Ces produits qu'offraient des débrouillards de tous âges, des personnes âgées, des fillettes, des garçonnets, étaient généralement bon marché et de très bonne qualité. Parfois, faute de temps, la voiture ne marquant qu'un arrêt de deux minutes, si les partis ne s'étaient pas encore mis d'accord sur le prix, le vendeur prenait le risque de lancer la marchandise dans la voiture déjà en mouvement, puis se mettait à la poursuivre, en espérant que le client serait aussi suffisamment honnête pour lancer l'argent par la fenêtre.

À mi-chemin, un arrêt un peu plus long était marqué à Kekem, une ville du département du Haut-Nkam. Les passagers et le chauffeur pouvaient s'étirer les jambes, faire leurs besoins, se ravitailler, sans pression. J'avais suivi d'autres passagers vers un espace dédié aux vendeurs de viande braisée et brochettes. J'achetai quelques brochettes, un Fanta, des safous et des plantains grillés. Un des voyageurs nous avertit que nous n'avions plus que quelques minutes pour retourner dans la voiture, au risque d'être abandonnés dans cette ville, par le chauffeur. Une fois tous installés à nouveau dans le Toyota Hiace, un autre passager commença à narrer une histoire selon laquelle les viandes de brochettes vendues à cet endroit seraient de la chair humaine. Toute dégoutée, je ne mangeai plus mes brochettes. Il ajouta aussi que la plupart des chauffeurs de transport interurbain avaient une femme et des enfants dans toutes les villes dans lesquelles ils marquaient des arrêts par moments et qu'il ne serait pas surpris que le chauffeur tarde à arriver. Effectivement, le chauffeur traîna avant de nous rejoindre, mais en le voyant avec sa bouteille de bière qu'il vida avant de reprendre le volant, je compris qu'il avait plutôt passé du bon temps dans un bar. Il ne nous restait plus qu'à prier pour qu'il ait encore suffisamment de lucidité et nous conduise jusqu'à destination.

Plus tard, le chauffeur s'arrêta à nouveau. Il nous fit signe de sortir de la voiture, car il y avait une panne. Nous nous rapprochions du Littoral, il commençait à faire très chaud et des moustiques avaient aussi décidé de faire de nous leur festin. Nous étions alors entourés des champs. Le conducteur et son assistant scrutèrent la voiture pour essayer de détecter le problème, ils n'y parvinrent pas. Finalement, ils se résolurent à faire l'auto-stop et à envoyer une personne chercher un mécanicien dans la ville voisine. Trois quarts d'heure plus tard, une vieille voiture gara devant notre car. Et, en quelque temps seulement, le mécanicien détecta la panne et résolut le problème. Nous reprîmes la route aussitôt après le dépannage du véhicule.

Entre la panne de voiture et les multiples arrêts, j'étais arrivée à Bonabéri très tard le soir, totalement lessivée par plus de sept heures de voyage. Puisqu'un taxi ne pouvait pas m'amener jusqu'au domicile de mon oncle, et bien qu'ayant deux sacs de voyage, je m'étais résolue d'emprunter une moto, communément appelée bend-skin au Cameroun. Manquant à plusieurs reprises de nous jeter tous les deux au sol, le «bendskinneur» avait, tant bien que mal, bravé le chemin caillouteux, boueux, jonché de creux et flaques d'eau. Il avait fini par me déposer devant le portail de mon oncle.

Ce soir-là, mon oncle m'invita à le rejoindre, pour le dîner, à une table installée sur sa terrasse. Les larmes aux yeux, je lui expliquai qu'à cause de la maladie, j'avais échoué mon baccalauréat. Il me rassura aussitôt que j'allais commencer les soins médicaux dès la semaine d'après et qu'il m'inscrirait aussi au Lycée bilingue de Bonabéri. Afin d'éviter des tracasseries tous les matins pour me rendre à l'école, mon oncle me demanda de louer une chambre dans les environs du lycée. Dès le lendemain, je commençai les recherches. J'en parlai également autour de moi. C'est ainsi que quelques semaines avant la rentrée, une voisine m'emmena visiter un local très proche du lycée et non loin de la route. En dix minutes de marche, je pouvais me rendre à l'école. La chambre se trouvait dans une belle maison avec barrière. Le sol carrelé était très beau. Pour y accéder, il fallait passer par un très grand salon avec des meubles en cuir et une salle à manger qui, d'après le bailleur, étaient accessibles à tous. Il y avait aussi une cuisine moderne à laquelle je pouvais avoir accès. La douche était externe, mais moderne aussi. Je devais la partager avec d'autres occupants de la maison. J'étais tellement contente que je n'avais même pas cherché à savoir qui d'autre vivait dans la maison. Sans hésiter, je confirmai que j'occuperai cette chambre dès la rentrée scolaire.

J'avais commencé le traitement contre la sinusite et, afin d'éviter une opération chirurgicale des sinus, le médecin avait planifié plusieurs protocoles que je devais suivre progressivement. La première étape fut un nettoyage nasal par des pulvérisations qui consistaient à assécher toutes les sécrétions que j'avais tendance à cracher ou à avaler pendant mes rhinites interminables. Cependant, cet assèchement eut juste le mérite de soulager mes souffrances. Le médecin décida alors de me mettre sous antibiotiques. Je me portais mieux, malgré la lourdeur de ma tête et l'irritation dans mes narines que je ressentais de temps en temps. Finalement, une ponction sous anesthésie locale, au début de l'année scolaire, s'avéra plus efficace.

J'avais dû commencer les cours avec beaucoup de retard. Malgré tout cela, j'étais convaincue que cette année serait la meilleure. J'avais très vite repris confiance en moi et mes excellentes notes n'avaient pas tardé à refaire surface. Ma nouvelle école était juste en bordure de l'axe principal interurbain qui reliait Bonabéri au centre-ville. Elle était constituée de quelques bâtiments en étage et d'une large cour pour le rassemblement[5] et la récréation. Il y avait une clôture qui était en permanence gardée par un vigile. Celui-ci avait l'habitude d'interpeller les retardataires et les élèves qui n'étaient pas autorisés à quitter le lycée avant la fin des cours. Ma salle de classe était à l'étage, au milieu de l'enceinte de l'établissement. Ses larges fenêtres nous permettaient d'avoir un peu d'air et de vent. Mais avec la chaleur qui s'accentuait les après-midis, mon cerveau semblait ralentir. Contrairement au Lycée de Mbouda, après avoir parcouru très tôt des kilomètres de marche sous le froid matinal en passant par une rivière qui semblait empirer la température déjà assez basse, lorsque j'arrivais enfin dans ma salle de classe, j'avais toujours eu du mal à écrire pendant les premiers cours de la journée. Mes doigts étaient complètement gelés. Je me souviens encore de mes prières incessantes au début de chaque année scolaire, afin que des matières comme l'histoire, la géographie ou tout ce qui m'obligerait à prendre des notes dans le cahier ne soient pas les premières de la journée. Au Lycée bilingue de Bonabéri, à Douala, je faisais face au problème climatique inverse. La période d'adaptation fut assez longue. Il me fallut alors plusieurs mois avant de mener la vie d'une véritable

---

5. Réunion du personnel et des élèves

citadine. Tout se passa plutôt bien pour moi. Mon oncle me donnait l'argent du loyer et mon argent de poche tous les mois.

Au milieu de l'année scolaire, Théo vint me rendre visite. Je fis ainsi la connaissance de quelques-uns des membres de sa famille de Douala. Mon petit ami voulait aussi me présenter à ses parents. Il me proposa alors de passer les congés de Pâques à Mbouda. Ce trimestre scolaire me sembla interminable. J'avais hâte de rencontrer mes futurs beaux-parents. J'étais tout excitée. Mon rêve de me marier allait enfin se réaliser. Arrivée à Mbouda, j'avais volontairement omis d'en informer mes parents, ne sachant pas ce que cette visite dans ma future belle-famille me réservait. Le grand jour arriva enfin. Je mis mes plus beaux vêtements, ceux-là mêmes jadis récupérés chez mes cousines. Bien qu'usés, c'était une aubaine pour nous, une occasion très rare pour arborer les accessoires et articles de luxe. Pour cette grande occasion, je choisis donc un pantalon jeans moulant, une belle chemise fleurie, un sac à dos et des ballerines de marque Naf Naf, très à la mode à cette époque.

Ce jour-là, j'étais sortie de la maison très tôt. J'avais une heure de marche environ, jusqu'au centre-ville, avant d'atteindre le point de rencontre que Théo avait choisi. Tout au long du chemin, je fredonnais mes mélodies préférées. J'avais un large sourire. Je saluais même les inconnus. J'étais tellement contente de cette nouvelle tournure de ma vie. J'étais si heureuse.

Le bus l'avait déposé plus tôt que prévu. Vêtu d'un jeans, d'un polo et des Sebago, Théo m'attendait déjà. Comme toujours, mon homme était tout élégant, dans sa belle silhouette élancée et athlétique. Il était visiblement très heureux, lui aussi. Son côté attentionné et presque paternel me comblait de bonheur. Il me serra très fort dans ses bras un long moment. Il me chuchota à l'oreille, ma petite chérie, j'ai un cadeau pour toi et me tendit un sachet contenant un livre en anglais, Oliver Twist. Il ajouta : lire des bouquins en anglais te permettra d'accélérer ton niveau. Il avait remarqué quelques boutons que j'avais essayé de percer plus tôt. Des taches noires emplissaient mon visage que Théo scrutait attentivement. Il ne s'empêcha pas de faire la remarque :

– Ma petite chérie, que s'est-il passé ? Qu'est-ce qui peut avoir causé ces boutons sur ton visage ?

Un peu embarrassée, je lui répondis en balbutiant :

– Euhhh, je pense que ce sont des boutons d'amour.

Théo, éclata de rire et ajouta :

– Dans ce cas, ne les touche pas la prochaine fois. D'accord ?

– Promis ! Répondis-je en levant timidement mon bras droit.

Il prit ensuite ma main et nous nous dirigeâmes vers un coin qui servait de gare routière. Nous empruntâmes un taxi pour son village. Mais très vite, la route fut inaccessible. Le reste du trajet se fit donc à pied, sur une route poussiéreuse. Heureusement, j'étais habituée aux longues marches, de deux heures parfois, quand j'allais au champ avec ma maman. Nous arrivâmes enfin au domicile familial de Théo. Mon cœur battait très fort. Mon empressement de rendre visite aux parents de Théo qui voulait me présenter comme sa fiancée s'était transformé en inquiétude, en anxiété. Mille questions me torturaient l'esprit. Ses proches allaient-ils être gentils avec moi ? Allaient-ils m'accepter ? Quels genres de questions pourraient-ils me poser ? Mon habillement était-il approprié ? Allaient-ils vouloir que j'aille à la cuisine faire un repas que je ne savais pas préparer ? Bref, je sentais subitement des sueurs froides m'envahir. J'ignorais alors pourquoi j'étais si angoissée.

Le père de Théo était assis dans un coin de la cour. Il feuilletait un journal. Des vêtements séchés étaient sur une corde. Du bois qu'on venait apparemment de fendre était rangé dans un autre coin. Des feuilles de bananier étaient étalées par-ci, par-là, en attendant de sécher. Sa mère s'activait à la cuisine. Elle concoctait visiblement un repas spécial pour son fils qui lui avait sûrement annoncé sa venue. Théo avait-il oublié de prévenir ses parents qu'il serait accompagné ? Dans tous les cas, ceux-ci étaient très étonnés de le voir en si galante compagnie. Néanmoins, son père fut très courtois avec moi. Il alla apporter une chaise pour moi. Entre-temps, Théo et moi, nous nous étions dirigés vers la cuisine de laquelle sa maman n'avait pas bougé. Quand elle nous aperçut, elle lança juste une phrase : Théo, tu es venu ? Elle continua à attiser son feu de bois, y soufflant de toutes ses forces. Je m'étais rapprochée d'elle, pour la saluer. Elle ne me tendit pas la main, alors je me contentais d'un Bonjour maman. Théo quant à lui alla l'embrasser. Elle lui demanda en son dialecte : Qui est avec toi ? Il lui répondit : C'est la fille que je souhaite épouser. Pendant que j'étais toujours debout à la cuisine, elle me balança une série de questions : Tu viens de quel village ? Qui sont tes parents ? À peine j'avais commencé à répondre en disant : Je suis Mbouda de Bamessingue, qu'elle m'interrompit : Apparemment, tes parents ne te nourrissent pas assez et c'est dans ma famille que tu dois venir prendre du poids ? Elle ajouta : J'ai cru un instant que tu étais Haoussa, tellement tu es maigre.

Oh, mon Dieu, je ne m'étais jamais sentie aussi humiliée de toute ma vie. Théo resta muet, visiblement surpris par la tournure des choses qui commençaient plutôt mal. Je me retournai immédiatement pour aller dehors m'asseoir sur la chaise que son père avait déposée. J'étais tellement sous le choc que je ne savais pas quoi faire. M'en aller sur-le-champ ? Rester là et me faire humilier davantage ? Me rapprocher du père en espérant qu'il soit un peu moins dur que la mère ? À quoi devais-je m'attendre ? Comment allais-je vivre avec un homme en sachant que sa mère, sans me connaître, me traitait déjà si mal? Au nom du mariage, étais-je prête à subir toutes sortes d'insultes et d'humiliations? Tout ceci me rappela pourquoi ma grand-mère se donnait autant la peine de m'apporter un panier de taro-sauce jaune tous les dimanches; c'était certainement pour contribuer à ce que je prenne un peu plus de poids afin d'éviter ce genre d'embarras, le jour où un homme me présenterait à sa famille. Quoi qu'il en fût, ma dignité était trop importante pour que je me laisse ainsi traîner dans la boue. Ce qui m'embêtait le plus, c'était le fait que Théo n'ait pas réagi. Son père lui demanda d'aller à la boutique d'à côté acheter des boissons. Je me proposais d'y aller avec lui. C'était pour moi une bonne échappatoire. Je dis à Théo, une fois tous les deux éloignés de leur maison, que je ne comptais plus y retourner. Ainsi s'acheva une relation qui m'avait apporté une lueur d'espoir pour une vie stable et meilleure.

J'étais à nouveau seule face à mon destin. J'avais définitivement pris conscience qu'aucun homme ne viendrait changer ma vie. Je devais donc redoubler d'efforts dans mes études, réussir mon diplôme et chercher du travail, afin de prendre en charge ma famille et moi-même. Toute cette endurance forgeait mon caractère. Dans ma classe, je paraissais plus mature que mes camarades. J'évitais toute forme de distraction. J'étais complètement focalisée sur mes études. Cela me valut le sobriquet de «Innocencia». Mes camarades me trouvaient trop intellectuelle et trop mature pour mon âge. Ils m'avaient jugée à mon apparence et me traitaient de snob. Ils étaient alors à mille lieues d'imaginer ce qui se passait dans ma tête. L'un d'entre eux, Félicien, avait décidé de briser la glace. Il était, lui aussi, très intelligent, beau et sympathique. Il s'était approché de moi et avait développé un instinct protecteur à mon égard. C'est lui qui m'aida à mieux m'adapter dans mon nouvel environnement. Je me sentais à l'aise avec lui. Je savais que je pouvais me confier à lui, sans plus. Félicien était très bien élevé. Il respectait mes réserves et se contentait de développer une belle amitié avec moi.

Au moment où je pensais que le pire était derrière moi, je ne me doutais pas de ce qui était sur le point de m'arriver. Un soir, pendant que j'étudiais au salon tard la nuit, mon bailleur entra dans la maison. Il se dirigea vers la cuisine pour trouver quelque chose à manger. Il vint ensuite s'installer près de moi et entama une causerie. Je me dis qu'il voulait juste faire la conversation, mais en même temps cette proximité me mit mal à l'aise. Finalement, voyant qu'il essayait de passer sa main sur ma cuisse, je le repoussais. Je me tins debout brusquement et lui interdis de refaire une chose pareille. Il me présenta ses excuses, prétextant qu'il était juste troublé et ne savait pas ce qui lui était passé par la tête. Il raconta que sa femme venait de le quitter et l'empêchait de voir son fils. Le lendemain, mon cousin vint me rendre visite. Il ignorait tout de l'incident de la veille. Pourtant, lorsqu'il aperçut mon bailleur, il me fit remarquer que c'était dangereux pour moi de rester là. Je commençais réellement à m'inquiéter, mais je n'avais pas d'autres alternatives. Mon oncle avait trois épouses et plus d'une douzaine de personnes vivaient chez lui. Ma seule tante dans la ville de Douala vivait du côté de New-Bell, à deux taxis de mon école. Après le départ de mon cousin, je fis immédiatement appel à mon ami Félicien pour lui raconter l'incident avec mon bailleur. Il arriva aussitôt, très en colère. Je redoutai bien une altercation entre les deux hommes. Aussi, proposai-je à Félicien de sortir de la maison. Nous marchâmes pendant un moment en causant jusqu'à ce qu'on trouve un banc public pour s'asseoir. Au fil des heures, l'inquiétude s'accentuait et j'entamais des conversations interminables avec mon ami. Je craignais de retourner à la maison. Félicien me recommanda fortement d'en informer la police, au cas où un tel incident se reproduirait. Il me promit qu'entre-temps, il chercherait des alternatives pour m'aider. Il m'avoua plus tard qu'il avait essayé de convaincre sa mère de m'héberger chez eux ou chez un membre de leur famille, afin que je puisse terminer l'année solaire en sécurité. Mais cela ne fut pas possible. Malgré cette longue conversation avec Félicien, il fallait bien que je retourne dans cette maison, tout en priant que rien de grave ne m'arrive. À mon retour, tout était calme, je marchai d'un pas rapide et j'allai m'enfermer dans ma chambre.

Le lendemain, le surveillant général vint me chercher dans ma salle de classe. J'avais de la visite. Qui cela pouvait-il être, en plein cours ? Ce visiteur ou cette visiteuse aurait pu attendre la fin des cours, non ? À ma grande surprise, Bernard était assis là. Il m'attendait. Je me demandais comment il avait pu me retrouver. Il avait dû se rendre à Mbouda, s'enquérir de mes nouvelles. Il m'expliqua à nouveau qu'il tenait toujours à moi. Il proposa que nous vivions enfin le grand amour, maintenant que nous étions dans la même ville. Malheureusement, j'étais encore traumatisée par notre rupture et aussi par l'incident vécu la veille avec mon bailleur. Je n'avais pas l'intention de vivre encore une relation incertaine, sans lendemain. Bernard était jeune. Il voulait encore profiter de la vie. Moi, en revanche, j'étais déjà très mature. J'avais besoin d'un mari et non d'un copain.

J'avais alors pris l'habitude de m'isoler dans ma chambre, jusqu'à ce fameux matin. J'y retournais tranquillement, après avoir pris ma douche. Une force extérieure m'empêcha de fermer la porte derrière moi. Et, en un laps de temps, mon bailleur fut là, dans ma chambre ! Sors, sors, va-t'en ! Je criais ainsi de toutes mes forces. Il ne se gênait pas du tout, on dirait qu'il savait que personne ne m'entendrait. Il bloqua la porte, réussit à m'immobiliser sur le lit. Il se releva ensuite et ressortit, comme si de rien n'était, après son ignoble acte.

J'étais meurtrie. Je m'en voulais tellement. Le danger

avait pourtant été clair. Mais naïvement, j'avais espéré tenir encore quelques jours, jusqu'à ce que je puisse trouver une alternative pour mon hébergement. J'avais l'impression que le monde s'effondrait autour de moi. Une chose était sûre : je ne pouvais plus rester dans cette maison. Où pouvais-je donc aller ? Si je partais m'installer chez ma tante à New-Bell, je ne pourrais plus retourner au Lycée, à Bonabéri. Or, l'année scolaire n'était pas terminée et je devais préparer le baccalauréat. J'étais tout simplement perdue. Il me revint à l'esprit ce que mon ami Félicien avait suggéré. Il fallait que j'en informe la police de toute urgence et qu'on mette ce monstre hors d'état de nuire. Je me rendis au Commissariat de Bonassama afin de porter plainte pour viol. La file d'attente était très longue, la douleur m'envahissait de plus en plus. Finalement, ce fut mon tour d'être entendue. Quand j'eus terminé mon récit, le policier me demanda la localisation de la maison ainsi que le portrait du mis en cause. Il avait décidé de faire de mon affaire une urgence et en parla immédiatement au Commissaire. Celui-ci donna aussitôt l'ordre de procéder à l'arrestation du coupable. Je fus vraiment soulagée de le savoir appréhendé. Les éléments des forces de l'ordre emmenèrent mon bailleur au Commissariat, les mains menottées.

Le policier en charge de mon dossier me conseilla de déménager rapidement mes affaires de cette maison pendant qu'on entendrait son propriétaire sur procès-verbal. Je ne savais toujours pas où aller. Il me vint alors à l'esprit d'appeler mon grand-frère qui, à l'époque, avait été confié à une autre sœur de maman qui vivait à Bassa, un quartier de la ville de Douala. Mon grand-frère me recommanda d'aller chez notre tante à New-Bell. Je débarquai alors inopinément chez ma tante qui m'accueillit avec beaucoup de joie. Je lui expliquai très rapidement que mon oncle de Bonabéri m'avait inscrite au Lycée, qu'il me payait un logement que j'avais malheureusement perdu. Ma tante me demanda si j'étais prête à vivre chez elle et me rendre à Bonabéri tous les matins, jusqu'à la fin de l'année scolaire. Je la rassurai que j'y parviendrais avec le peu d'économies que j'avais. Après cette brève conversation avec elle, j'installai rapidement mes affaires dans une chambre et ressortis aussitôt pour retourner au commissariat, sans avoir dit un seul mot de ma mésaventure à la sœur de maman.

À mon retour au commissariat, le policier en charge de mon affaire me confirma que mon ancien bailleur allait être maintenu en garde à vue. Il m'informa aussi que le commissaire voulait me rencontrer. Il m'annonça aussitôt auprès de son patron et me rappela de repasser à son poste afin qu'il me donne la conduite à tenir quant à la suite de l'affaire. Il me fit entrer dans le bureau du commissaire et ferma la porte derrière lui. Celui-ci était en train d'écrire et semblait très occupé. Mais, dès qu'il leva sa tête et me vit, il se dirigea vers moi avec beaucoup de courtoisie, me serra la main et me rassura que toutes les mesures avaient été prises afin que mon bourreau soit mis aux arrêts, pendant que la procédure suivrait son cours, car, il n'avait même pas nié m'avoir violée. Il avait reconnu son forfait et aurait en plus déclaré : C'est une très belle fille et je ne pouvais pas résister. Le Commissaire ajouta : Je dois avouer qu'en te voyant, la déclaration de ce monsieur prend tout son sens, car tu es vraiment très belle. Tous ces compliments un peu incongrus, compte tenu des circonstances, commençaient sérieusement à me mettre mal à l'aise. C'est ainsi que je décidai qu'il serait préférable que je présente rapidement mes remerciements au commissaire pour avoir pris à bras-le-corps cette affaire avec son équipe et que je sorte rapidement de son bureau. Je pris la parole pour dire : Commissaire, merci infiniment pour cette intervention rapide. Mon ami m'avait effectivement recommandé de faire immédiatement recours à la police si ce monsieur tentait encore de me toucher, mais je n'imaginais pas que vous interviendriez de manière aussi expéditive et efficace. À peine j'avais fini de parler qu'il se leva, se dirigea vers la porte en disant : Tu sais, il y a bien un moyen de me remercier ! ». Il bloqua la porte et, avant même que je n'aie eu le temps de réaliser ce qui se passait, il se plaça derrière moi, passa une main pour couvrir ma bouche, se pencha et se mit à me palper les seins en gémissant : Oh, tu es d'une beauté enivrante, tu as des seins comme des sagaies. Je n'en revenais pas, j'étais tellement sous le choc que je n'avais pas d'énergie ni pour crier, ni pour me battre. Je ne comprenais pas comment Dieu pouvait laisser une telle chose m'arriver alors que la douleur du premier viol ne s'était même pas encore dissipée. Ce porc me viola lui aussi et me laissa couchée là, sur le sol cimenté de son bureau et s'en alla. Mes forces m'avaient abandonnée. Je ne ressentais plus mes pieds tellement j'étais meurtrie. Après un long moment dans mon état de choc, le policier qui s'occupait de mon cas, ayant probablement constaté que je n'étais toujours pas repassée à son poste, vint ouvrir la porte et me vit là, gisant à même le sol humide, laissée pour morte par un homme de justice qui n'avait pas pu retenir ses pulsions animales et qui n'avait même pas pensé à se protéger avec un préservatif. Il ne me posa pas de questions, moi non plus je ne savais ni quoi dire, ni quoi faire, car pour moi j'étais détruite. J'étais aussi bonne que morte. Après un bref moment de silence, le policier m'aida à me lever. Il semblait se douter de ce qui avait bien pu se passer. Il me recommanda de ne rien dire à qui que ce soit et de marcher tout doucement jusqu'à l'hôpital de Bonassama, juste à côté.

Si je ne pouvais pas compter sur les hommes de justice, qui allait donc me protéger ? Pour moi, la vie ne valait même plus la peine d'être vécue. Au sortir du commissariat, j'avais deux choix, soit tourner à gauche et me jeter au fleuve Wouri, soit tourner à droite et me rendre à l'hôpital. Je marchai très lentement et, malgré la douleur, j'atteignis l'hôpital. Titubant, je m'arrêtai au milieu de la cour, lançai un cri strident et m'écroulai au sol. Je n'arrêtais pas de crier : Pourquoi Seigneur, pourquoi ? Une infirmière vint à mon secours. Elle venait de terminer son travail et s'apprêtait à rentrer chez elle. Je ressentis alors le besoin de lui confier que je venais de subir un double viol. Elle me demanda si j'avais de l'argent pour payer les frais d'hôpital. Non, je n'avais prévu que mon argent de transport. Je lui fis savoir que je ne voulais pas informer ma famille qui était déjà suffisamment en difficultés. La nouvelle risquerait de se propager très rapidement. Je préférerais alors mourir que de subir cette humiliation de trop. La dame me rassura. Elle était une chrétienne engagée et m'exhorta à oublier tout ce qui m'était arrivé. Elle m'assura que mon avenir serait certainement meilleur, malgré toutes ces épreuves. Elle m'expliqua qu'on allait m'examiner, faire des tests pour voir si j'avais éventuellement contracté des maladies sexuellement transmissibles, qu'on me placerait aussi une perfusion pour me redonner des forces et également, qu'on m'administrerait des antalgiques pour apaiser ma douleur. Elle prit en charge tous les frais d'hospitalisation. J'étais si bouleversée. J'étais à la fois reconnaissante que le Seigneur ait mis sur mon chemin une si bonne samaritaine pour me secourir et me redonner espoir à la vie, avec son discours motivateur, mais en même temps, je me demandais comment Dieu voudrait qu'une enfant de 17 ans puisse vivre toutes ces horreurs. C'était vraiment lourd comme fardeau. Après quelques heures de soins intensifs, je me sentis mieux. Mon «ange-gardien» m'accompagna emprunter un taxi dépôt pour New-Bell, non sans me rappeler que le chemin du paradis est jonché d'embûches et que mes tribulations étaient à la hauteur des bénédictions qui m'attendaient.

Une fois rentrée chez ma tante, je ne dis à personne que je venais de vivre une journée cauchemardesque. Je me gardais d'en informer mon oncle ou qui que ce soit, car en général, dans ce genre de circonstances, la victime est plutôt jugée, humiliée. Je ne voulais pas devenir la risée publique, l'objet des ragots. Je cessai d'aller à l'école. Je me repliais sur moi-même, m'enfermant régulièrement dans la chambre. Je perdis toute concentration, toute envie d'étudier. Je n'étais pas prête pour affronter l'examen du baccalauréat pour la seconde fois. Mon état psychologique ne s'y prêtait pas du tout. Et, aussi intelligente que je fusse, j'essuyai lamentablement un deuxième échec scolaire.

J'étais anéantie, découragée. Dans ma famille nucléaire, personne n'avait atteint l'université. Je n'en serais certainement pas l'exception. C'est dans cet esprit défaitiste, remplie de pensées négatives, que je décidai d'abandonner mes études. J'allais me lancer dans le commerce, domaine de prédilection de tous les membres de ma famille. Je fis part de ma décision à ma tante, qui en parla à mon feu grand-frère, Alain Wabo, entraîneur professionnel de football. Ce dernier fit le déplacement de la ville de Buea et vint m'encourager. Entraîneur à cette époque des jeunes footballeurs de l'équipe Mount Cameroon de Buea, mon frère m'avait alors parlé de son parcours difficile. Parti de New-Bell comme jeune entraîneur autodidacte pour faire briller des équipes à Nkongsamba, en passant par Bandjoun pour finalement se retrouver à la tête d'un grand centre de formation à Buea, son parcours ne fut pas de tout repos. Alain me parla de son rêve d'entraîner de grandes équipes, y compris l'équipe nationale du Cameroun et même des équipes à l'échelle internationale. Objectifs qu'il réussit d'ailleurs à atteindre avant son décès prématuré en 2010. Il avait réussi à devenir le premier entraîneur de l'équipe nationale des lionceaux du Cameroun n'ayant pas fait de formation à l'Institut National de la Jeunesse et des Sports du Cameroun. Il fut par la suite entraîneur de nombreuses équipes à l'internationale. Il me demanda de lui parler de mes rêves. Je rêvais de devenir journaliste ou magistrate. Il m'encouragea alors à ne pas abandonner mes rêves et à retourner à l'école, même s'il fallait que ce soit en cours du soir. Avant de nous séparer, mon frère Alain me remit une somme de 50 000 (cinquante mille) FCFA afin de m'inscrire, pour la prochaine année scolaire, dans une école proche du domicile de ma tante. Il me vint l'idée de fructifier cet argent, afin de parer à d'éventuels besoins personnels. J'investis ainsi une partie dans la vente des sous-vêtements, achetés à la friperie. Le marché Nkololoun et le marché central de Douala n'étant pas très loin de chez nous, je passais aussitôt à l'action. Je me réveillais tous les jours avant quatre heures du matin, pour faire de bonnes affaires, lors des ventes aux enchères. Très vite, de bouche à oreille, toutes les filles du quartier connaissaient dorénavant mon adresse pour leurs premiers choix de lingerie. Tout se passait plutôt bien.

J'étais devenue sédentaire, très peu active. Pour mes seuls déplacements qui consistaient à me rendre au marché pour les achats des sous-vêtements à revendre, je n'avais besoin que d'enfiler rapidement le kaba, une sorte de robe en tissu pagne, très évasée. Toujours motivée depuis la conversation avec mon grand-frère, j'étais prête à retourner à l'école et à réaliser mes rêves. Je m'apprêtais ce jour à me rendre dans une école de la place, prendre des renseignements pour les cours du soir. Au moment de porter ma robe, je me rendis compte que je ne pouvais pas y rentrer. Elle me serrait énormément. Je réalisai en ce moment précis que mon corps s'était beaucoup transformé. J'ai sûrement pris du poids, pensai-je. Cependant, mon buste également avait pris du volume. Il était devenu plus sensible, de plus en plus irritable. Mon ventre durcissait et s'arrondissait aussi. Mes pieds enflaient légèrement et s'alourdissaient de plus en plus. Ce fut ce jour précisément que je me souvins n'avoir pas eu de menstruations depuis plusieurs mois déjà. Prise de panique, j'enfilais rapidement une robe confortable pour me rendre non pas à l'école, mais plutôt chez mon médecin à Bonapriso, juste à huit minutes seulement de New-Bell.

Je n'avais pas assez de moyens pour en consulter un autre.

Une fois dans son cabinet, j'eus peur et honte de lui raconter ma mésaventure de Bonabéri. Je me contentai juste de lui décrire mes symptômes et de savoir s'il pouvait m'envoyer faire un test de grossesse. Je le priai aussi de rester discret sur mon cas, compte tenu de ses relations avec mon oncle. Je ne voulais surtout pas devenir un sujet de conversation dans toute ma famille. Il me recommanda donc auprès d'une de ses consœurs et la nouvelle implacable ne tarda pas à tomber. J'étais effectivement enceinte. Après le double viol, je ne pouvais pas imaginer que quelque chose de pire m'attendrait. N'avais-je pas assez souffert ? J'étais déjà assez meurtrie dans ma chair, mais là, j'étais désormais aussi meurtrie dans mon âme, et même dans mon esprit. Je trouvais que la vie était trop injuste avec moi. Comment allais-je porter une grossesse issue d'un double viol ? Qu'allais-je dire à mon entourage, à l'enfant ? Comment allais-je regarder cet enfant qui me rappellerait tous les jours le drame vécu ? Des pensées de toutes sortes me torturaient. Finalement, une idée me vint à l'esprit. Peut-être fallait-il avorter ? Si oui, comment m'y prendre ? Mon médecin pourrait probablement m'aider ? Je pris la résolution de retourner dans son bureau lui donner le verdict fatidique. Une fois de plus, je le suppliai de rester discret et lui demandai s'il pouvait m'aider à trouver une solution pour un avortement. Il opposa un refus catégorique à ma demande ! De plus, il décida d'en informer mon oncle qui en fut beaucoup déçu. Ce qui était tout à fait normal, car n'ayant aucune idée de tout ce que j'avais traversé, il ne pouvait non plus comprendre ma décision de vouloir avorter. Mais une chose était sûre, à la suite de cette nouvelle, mon oncle décida de ne plus financer mes études puisqu'en plus, j'avais lamentablement échoué le baccalauréat pour la seconde fois.

La rentrée scolaire approchait à grands pas. Plus le temps passait, plus il me devenait difficile de cacher ma grossesse, malgré les kabas et tous les vêtements amples que je portais. J'étais de plus en plus soucieuse de mon avenir et je maigrissais sans cesse. Pour des raisons éthiques, mon médecin ne pouvait pas s'impliquer dans mon plan d'avortement. Et mon entraîneur de frère, qui m'avait récemment encouragée à retourner à l'école, ne devait nullement apprendre que j'étais enceinte. C'en serait vraiment fini pour moi. Ayant déjà perdu la confiance et l'aide de mon oncle, il me fallait absolument maintenir une porte accessible, au cas où j'aurais besoin d'un coup de main pour mes études. J'entrepris donc de continuer à me renseigner discrètement. Et je trouvai enfin un endroit où la procédure d'IVG (Interruption Volontaire de Grossesse) pouvait se faire et à moindre coût. C'était un centre hospitalier privé, situé au premier étage d'un immeuble, dans un quartier plutôt très insalubre. Je n'avais vraiment plus de choix, ma grossesse avançait.

Après avoir pris mes paramètres, je fus dirigée vers une petite salle dans laquelle il y avait un lit et une chaise. Une dame en blouse blanche vint me faire une injection et me fit savoir que je devais rester allongée et l'appeler quelques heures plus tard, lorsque je ressentirai une douleur semblable à des contractions. Une fois allongée là, ma vie défila devant moi. Je me demandais ce qui allait m'arriver. Est-ce que j'allais supporter la douleur, est-ce que j'allais m'en sortir vivante, est-ce que c'était une bonne idée d'être là ? Je remettais tout en question, mais il était visiblement trop tard. Je finis par m'assoupir jusqu'à ce que de violentes contractions me réveillent. Interpellée par mon cri strident, la dame qui s'occupait de moi vint en courant, apprêta son matériel et s'installa pour commencer l'opération. Après environ une quarantaine de minutes interminables, elle lança enfin : Voilà, c'est terminé. Vous avez des garnitures posées ici que vous pourrez utiliser, il y a également un paquet de médicaments que vous prendrez à la maison pour vous sentir mieux. Je pensais être finalement soulagée quand, en me levant, j'aperçus la dame qui s'apprêtait à emballer ce qui semblait être une fille, avec beaucoup de cheveux sur la tête. Ce fut à ce moment que je fondis en larmes. Je me roulais par terre, laissant des traces de sang partout. Moi qui depuis l'adolescence rêvais du jour où je pourrais me marier, avoir une fille et lui faire des tresses, l'habiller comme une princesse et lui donner la vie que je n'ai pas pu avoir dans mon enfance. Mon rêve venait donc de s'éteindre, à cause de ma décision de me débarrasser d'une innocente fille, qui n'avait pas demandé à être conçue. Si avant l'avortement, je me demandais comment j'allais vivre en regardant un enfant qui me rappellerait le drame que j'ai enduré, à présent, je commençais sérieusement à me demander comment j'allais vivre avec l'image de cette pauvre fille dans mon esprit, le restant de mes jours. Pire encore, j'étais supposée prendre le paquet emballé soigneusement et trouver un endroit pour l'enterrer. Je pense qu'une partie de moi est aussi morte ce jour-là. Ah oui, cette décision d'avorter reste et demeure la pire de toute ma vie.

Le temps passait, ma guérison physique était effective, mais ma souffrance mentale ne faisait que commencer. Je passais des nuits à pleurer, à supplier Dieu de me pardonner d'avoir laissé mon désespoir, mon désarroi, mes émotions dominer ma raison. Je vivais dans la paranoïa de ne plus jamais concevoir. Je pensais que je méritais une punition pour avoir avorté. Je sursautais régulièrement en revoyant la tête de l'enfant dans mes nuits cauchemardesques. C'est alors que je me levais et me mettais à prier jusqu'à me rendormir. Au fur et à mesure que le temps passait, je faisais un effort surhumain pour trouver un mécanisme me permettant de rayer progressivement tous ces évènements traumatisants de ma mémoire vive. Cela semblait bien fonctionner, même si plus tard, cette tendance à supprimer mes mauvais souvenirs a fini par affecter ma capacité à mémoriser.

L'école avait repris depuis plusieurs jours déjà, mais je

tardais encore à m'inscrire. Je ne sortais plus, ni pour acheter de la marchandise, ni pour prospecter, ni pour vendre. Ma tante me trouvait de plus en plus bizarre. Elle me posait sans cesse des questions. Elle menaçait d'informer mon grand-frère que je ne m'étais toujours pas inscrite à l'école. Le connaissant très nerveux, je ne voulais surtout pas subir des remontrances de sa part. C'est ainsi que, peu à peu, je repris des forces pour reprendre mes activités. Je m'inscrivis aussi en cours du soir dans une école située à quarante minutes de marche de la maison. Je voulais avoir la flexibilité de continuer à travailler en journée et d'étudier le soir. C'était clair qu'à ce moment, mon rêve d'aller dans de grandes écoles comme l'ENAM[6] ou l'ESSTIC[7] pour devenir comme les journalistes de renom Denise Epoté ou Anne Marthe Mvoto, s'était estompé, après deux échecs au baccalauréat et une série d'évènements traumatisants. Tout ceci avait totalement affecté ma résilience mentale et mes ambitions. Je m'étais même convaincue que pour être heureuse et accomplie, il me fallait obtenir au minimum ce baccalauréat. Ensuite, espérer trouver un emploi me permettant d'avoir un revenu d'environ 100 000 FCFA, trouver probablement un bon mari et, Dieu le voulant, avoir des enfants. Le tour serait joué. Je serai enfin heureuse. J'aurais enfin réussi. Voilà désormais à quoi mes rêves se résumaient.

Une fois inscrite en cours du soir, j'étais engagée à prendre des dispositions pour avoir d'excellentes notes et faire de ce troisième essai le dernier. Ayant constaté que la seule matière qui me donnait du fil à retordre c'étaient les mathématiques, je trouvai opportun de rassembler mes économies et de prendre un répétiteur au moins pour quelques séances. Au fur et à mesure que mes activités commerciales et mes études m'occupaient, j'avais la sensation de guérir petit à

---

6. École Nationale d'Administration et de Magistrature

7. École Supérieure des Sciences et Techniques de l'Information et de la Communication

petit. Je reprenais goût à la vie. Toutefois, quelque chose de nouveau se développait en moi comme une séquelle du traumatisme causé par l'avortement. J'avais cette sensation d'avoir manqué de protéger une créature innocente. C'est ainsi qu'un instinct nourricier accentué s'installa en moi. Je commençais à être plus sensible que d'habitude aux personnes en difficultés. Il y avait inconsciemment ce besoin de me rattraper aux yeux de Dieu. Autour de moi, j'étais toujours la première à voler au secours des personnes ayant besoin de protection ou d'aide. Parfois, je plaidais la cause de ces personnes vulnérables auprès des autres, afin d'obtenir cette aide pour elles.

Et, en aucun moment, je n'aurais pu me douter que mon dévouement à me consacrer à autrui, de façon désintéressée, m'entraînerait dans une autre mésaventure amoureuse. À peine je faisais des pas de bébé pour réapprendre à faire confiance à un homme que je me sentais déjà trahie.

Plusieurs fois sur mon chemin, il m'était arrivé de rencontrer Eléazar, un jeune footballeur dont la maison familiale, faite en matériaux provisoires, était voisine à la nôtre. Nous échangions généralement des salutations courtoises quand il venait au quartier rendre visite à sa famille. Eléazar vivait à Nkongsamba et jouait dans une équipe départementale de football. Un jour, pendant que je me rendais à l'école, je le vis assis dans leur cour, l'air malade. Je me rapprochais de lui pour m'enquérir de ses nouvelles. Il m'expliqua qu'il était souffrant depuis quelques jours et qu'il suivait un traitement médical. Je lui souhaitai une prompte guérison et me rendis à l'école. Sur le chemin du retour, il me vint à l'idée d'acheter des fruits pour les offrir à Eléazar, afin qu'il puisse prendre des forces. Je le retrouvai assis là, toujours dans la cour, la mine encore plus abattue. Je lui remis son paquet de fruits, qui le ragaillardit tout à coup. Il fut agréablement surpris par mon geste. Et, au moment de repartir, Eléazar m'invita à m'asseoir pour échanger un peu avec lui ; Cela me ferait du bien, ajouta-t-il tout en se rassurant que cela ne me dérangerait pas. Je n'eus même pas le temps de réfléchir qu'il avait déjà demandé un tabouret à l'une de ses petites sœurs. Évidemment, je connaissais tous les membres de sa maison, car ils étaient mes plus proches voisins. Nos relations étaient conviviales et les présentations ne furent pas nécessaires.

Ma conversation avec Eléazar avait duré près de deux heures. Nous avions parlé de tout et de rien, et, il commençait à se faire tard. Je devais me rendre au marché très tôt le matin pour la vente aux enchères de friperie. Je promis alors de lui rendre visite le lendemain. Mais, des jours plus tard, son état de santé ne s'était toujours pas amélioré, les médicaments qu'ils consommaient lui ayant causé des éruptions cutanées. Tout naturellement, animée par mon instinct d'altruiste, poussée par cet élan de secourir tous ceux que je voyais souffrir, je nettoyais régulièrement les blessures d'Eléazar et l'aidais à appliquer la crème cicatrisante. Ces multiples visites finirent par créer plus de proximité entre nous et une intimité ne tarda pas à s'installer. J'étais également devenue très proche des autres membres de sa famille, qui semblaient d'ailleurs apprécier ma présence. J'apprenais déjà à déguster certains mets de leur village, principalement le Kepen, une sorte de couscous qui se mange avec une sauce de légumes. Occasionnellement, je cuisinais pour eux.

Quelques mois plus tard, Eléazar devint mon petit ami. Il se portait mieux et commençait à songer à rejoindre son club, à Nkongsamba. Tout allait bien entre nous jusqu'au jour où une jeune fille lui rendit visite et, ne l'ayant pas trouvé, dut laisser une note à la sœur d'Eléazar. Selon cette note que je découvris plus tard dans la chambre de celui-ci, cette fille était sa petite amie qui, lasse d'attendre qu'il revienne à Nkongsamba, avait fait le déplacement pour lui rendre une visite surprise. Vraiment furieuse, dans une colère très noire, je commençai à questionner tous les habitants de la résidence. Je voulais savoir s'ils connaissaient cette fille et surtout, pourquoi m'avaient-ils laissée me rapprocher d'Eléazar s'il était toujours dans une relation avec une autre ? Je m'emparai alors d'une hache trouvée derrière leur maison, prête à en découdre avec mon petit ami. Je l'attendis ainsi, assise devant sa porte lorsque sa sœur aînée vint me calmer, m'exhortant de laisser passer ma colère et de privilégier plutôt le dialogue avec Eléazar. En attendant donc d'avoir une discussion franche avec mon copain sur la nature de sa relation avec sa visiteuse, je refis un tour dans sa chambre. Je repris ladite note pour la relire. Assise sur le lit, d'innombrables comparaisons emplirent aussitôt mon imagination. Un fait important : depuis mon entrée en cycle secondaire, l'analyse de texte était l'une de mes activités favorites et, en quelques minutes seulement, j'avais déjà décortiqué la missive de la demoiselle. Sans même l'avoir vue, je pouvais déduire son niveau d'études, sa personnalité, son caractère. En très peu de temps, je brossai son portrait moral ; il ne me restait plus que son image physique. Sa lettre contenait plus de fautes que de phrases. Sa main d'écriture était si brouillonne et le style pire que familier. C'était tout simplement de l'argot. Vraiment rien à voir avec mon niveau, élève en classe de terminale, série littéraire. J'étais tellement en colère contre moi-même. Comment je pouvais me retrouver en compétition avec une fille si peu instruite, illettrée même. Toute hautaine, je voulais me consoler, et cherchais des défauts en ma rivale. Peut-être que ces deux-là sont faits l'un pour l'autre ? Avais-je alors pensé. Peut-être devrais-je simplement m'en aller et les laisser continuer leur romance ? Pendant que je me perdais dans mes vaines comparaisons, on frappa à la porte principale. Je sortis rapidement et là, je vis une jeune fille de taille moyenne, svelte, belle et très sexy. J'avais tout de suite deviné que ça devait être l'auteure de la note. Elle entra et s'installa confortablement dans le salon constitué de deux sofas revêtus de tissus fleuris. Je pris aussi place comme tous les autres membres de la famille. Sans même chercher à savoir qui j'étais, la visiteuse d'Eléazar démarra aussitôt la conversation. Elle avait d'abord rendu visite à l'une de ses tantes non loin de là, nous raconta-t-elle. Plus je l'observais, plus je me demandais ce que je faisais là. Cette fille semblait parfaite pour Eléazar. Elle le connaissait si bien. Elle connaissait également toute sa famille. D'ailleurs, elle parlait de lui comme s'il était son petit dieu. Elle semblait être son fan numéro un. Après un long moment, Eléazar ne rentrant toujours pas, elle finit par s'impatienter et s'en alla. Bien plus tard, l'une des sœurs d'Eléazar me raconta qu'il était rentré entre-temps, quand j'étais dans sa chambre et qu'elle lui avait conseillé de ressortir discrètement, car j'avais vu la lettre de sa copine de Nkongsamba et que j'étais très irritée.

Quand Eléazar rentra enfin, j'avais eu le temps de me calmer. J'étais heureuse de le revoir. De manière impulsive, surexcitée, j'aurais pu commettre un crime, avec la hache en main. Je compris alors ce jour qu'il ne fallait jamais poser un acte drastique sous le coup de la colère. Très apaisée et même très lucide, j'étais disposée à avoir une conversation franche avec Eléazar afin de définir des bases solides pour notre relation ou, peut-être, pour y mettre tout simplement un terme. Nous prîmes ensemble l'engagement de poursuivre notre idylle dans la transparence totale, sa relation avec sa visiteuse n'étant plus que de l'histoire ancienne.

Les semaines qui précédaient l'examen du baccalauréat, la préparation était intense, surtout en mathématiques, ma bête noire. Malgré tout, je me sentais prête à affronter ma troisième candidature au baccalauréat. Le jour J arriva enfin. Je devais me rendre au Lycée d'Oyak, un centre d'examen qui rassemblait non seulement les élèves des lycées et collèges, mais aussi des candidats libres venus de plusieurs coins de la ville de Douala. J'avais arboré pour l'occasion un ensemble bordeaux composé d'un pantacourt moulant assorti à un blazer près du corps, avec un petit haut à bretelles en dessous. J'étais convaincue que cette fois-ci était la bonne, lorsque, soudainement, un surveillant m'interpella et me fit des remarques très désobligeantes sur ma tenue :

Oh, mademoiselle, venez ici, vous vous croyez où là ? C'est quoi cette tenue moulante ? C'est pour séduire les surveillants, pour vous aider pendant l'examen ? Vous allez en boîte de nuit ?

Imaginez ma frustration, avant même d'être entrée en salle d'examen. Ledit surveillant décida de m'isoler dans un coin de la salle où je devais composer toutes les épreuves sous haute surveillance, sans voisin de banc, jusqu'à la fin de l'examen.

Le jour des résultats, les larmes vont couler, ce refrain connu dans toutes les régions du pays reste d'actualité et dénote le fait que l'attente des résultats semble toujours interminable. Ce moment est particulièrement angoissant. Une bonne montée d'adrénaline vous empêche parfois de respirer. Vous transpirez à grosses gouttes. Même celui qui a bien travaillé subit la même pression.

Ce fameux jour, j'étais en visite chez Eléazar. Ce jour-là, l'attente des résultats tenait toute la famille en haleine autour de moi. Nous étions anxieux d'écouter les résultats sur le poste national, la CRTV radio. Après une heure d'écoute, vint enfin le moment fatidique. Un « silence radio » s'imposa dans la maison quand le journaliste annonça mon centre d'examen :

« CENTRE DU LYCÉE D'OYAK » Baccalauréat A4 Allemand, première du centre, avec mention BIEN : à peine il avait commencé à lire mon nom que ce fut l'effervescence totale dans la maison.

Tout le monde sauta de joie sur moi ; ce furent des cris stridents et des youyous dignes de ceux qu'on entendait souvent lorsque la lumière réapparaissait après un délestage ou quand les Lions Indomptables, équipe nationale de football du Cameroun marquait un but lors d'une compétition. Bref, nous étions dans la joie totale.

Le Seigneur venait d'exaucer mes vœux de la plus belle des manières. J'étais alors loin d'imaginer qu'après ces trois années de persévérance, je serais autant honorée. Rien ne m'avait déconcentrée, ni les préjugés des uns et des autres, ni même le mauvais traitement que l'un des surveillants m'avait infligé lors de cet examen. J'étais tout simplement dans un bonheur absolu. Le lendemain, j'allai confirmer mes résultats au centre d'examen. Fortuitement, je tombais nez à nez avec ce surveillant malveillant. Il n'hésita pas de me lancer : Oh, vous voilà encore, je suis persuadé que vous avez échoué. Je ne lui accordai même pas de l'attention. Sa négativité ne m'affectait pas du tout. Surtout, j'avais d'autres préoccupations.

N'ayant pas assez de moyens financiers pour les grandes écoles de journalisme et de magistrature, que me réservait alors l'avenir après le baccalauréat ? Pendant que je continuais mon petit commerce de revente des articles de friperie, il me vint à l'idée de poursuivre des études supérieures en Marketing dans un nouvel Institut, le British College of Professional Management, à Douala. J'allais ainsi améliorer mon niveau d'anglais, tous les cours y étant dispensés dans cette langue. Et, j'aurai eu alors un avantage concurrentiel dans la recherche de l'emploi. Malheureusement, mes économies ne pouvaient pas couvrir les quatre cent mille FCFA des frais de scolarité. Pourtant, il me fallait rapidement une formation professionnelle qui me permettrait d'être assez vite compétitive sur le marché de l'emploi afin de subvenir à mes besoins et à ceux de ma famille. J'espérais donc que mon oncle tiendrait sa promesse de me donner une nouvelle chance en payant mes études supérieures. Je lui avais personnellement annoncé le résultat de mon admission au baccalauréat. Il m'avait alors félicitée, tout fièrement.

Quelques jours après ma rentrée académique, Eléazar préparait son déplacement pour jouer dans un club de football, à l'étranger. Il ne savait pas alors comment gérer la bonne nouvelle que je venais de lui annoncer. Moi, en revanche, je l'accueillis plutôt bien. J'étais reconnaissante à Dieu. Malgré le traumatisme de la grossesse issue du double viol, j'étais de nouveau enceinte. Je ne voulais pas bafouer cette grâce. Je ressentais enfin un soulagement. J'étais fière d'être bachelière. J'avais une relation amoureuse stable. Je rêvais même déjà des lendemains meilleurs. Pourtant, cette fois-ci encore, mon bonheur allait être de courte durée. J'étais devenue un échec pour ma famille. Personne ne croyait plus en moi. Mais, pour moi, la seule option était de me battre pour faire naître cet enfant et le protéger. Cependant, j'étais très loin d'imaginer que j'allais à nouveau vivre des moments aussi sombres.

Je n'avais pas eu le courage de parler de ma grossesse aux membres de ma famille. Je passais même plus de temps chez mon copain que dans la maison de ma tante qui n'avait d'ailleurs pas hésité à en parler à sa sœur. Celle-ci vint un jour me demander de quitter la maison, car mes sorties intempestives étaient inappropriées. Je n'avais alors aucune destination réelle. Je m'installais d'abord à même le sol sous un arbre, non loin de la maison. Je ne pouvais pas contacter à nouveau mon oncle pour le logement. Il faisait déjà assez en payant mes études au British College. Je ne pouvais pas aller chez mon autre tante, c'est elle-même qui m'avait mise à la porte de chez sa sœur. Je ne pouvais non plus louer une chambre, faute de moyens financiers. Il ne me restait clairement qu'une seule solution : demander à la famille d'Eléazar de m'héberger. Sans hésiter, elle m'accueillit à bras ouverts. Tous les membres de la famille étaient heureux de m'appeler leur femme. J'allais à l'école comme si de rien n'était. J'avais même de très bonnes notes. Je comptais gérer cette grossesse avec toute la maturité possible. Tout doucement, ma bosse de bébé commençait à être visible. Les rumeurs faisaient le tour du quartier. Les grossesses précoces y étaient pourtant chose courante, mais la mienne faisait plus jaser. En un laps de temps, certains membres de ma famille étaient déjà au courant, y compris mon grand-frère Alain Wabo. Dans une colère noire, il m'envoya dire ceci : si je te vois, je vais te bastonner copieusement jusqu'à ce que cette grossesse disparaisse. Évidemment, c'était sa manière d'exprimer sa déception. Il ajouta d'ailleurs que j'étais l'espoir de la famille et qu'il pensait qu'un jour je deviendrais journaliste ou magistrate et que j'épouserai un grand directeur ou un chef d'État. Pour la plupart des membres de ma famille, j'étais partie de la brave et intelligente fille dont tout le monde était fier à désormais, un échec. Tous leurs espoirs fondés sur moi étaient « dans l'eau ». Qui allait épouser une fille-mère ? Pourrai-je encore poursuivre mes études et réussir à réaliser quelque chose de grand au point de sortir ma famille de la misère ? Personne n'y croyait plus. J'étais devenue la risée publique, mais moi, je ne comptais pas baisser les bras. On dirait que ma grossesse me rendait de plus en plus forte. J'étais désormais prête à braver toute adversité sur mon chemin. Pire encore, Eléazar était prêt à poursuivre sa carrière sportive à l'étranger. J'allais me retrouver à vivre dans sa famille, en espérant qu'il revienne au Cameroun m'épouser. Devrais-je donc imposer ma présence en son absence ? À mon avis, c'était manquer de dignité. Il devenait urgent de prendre une décision, malgré l'incertitude. Dès le départ d'Eléazar, je pris une chambre à louer au quartier Bessengué, non loin du lieu-dit « Feu Rouge ». C'était la maison familiale d'un collègue de la sœur d'Eléazar, un taudis avec une barrière en tôle rouillée et des lattes. Il y vivait avec sa femme et leur enfant et avait été d'accord de mettre une chambre à ma disposition. À la façade principale, il y avait une menuiserie qui appartenait certainement à leur famille. Derrière la menuiserie, il y avait une allée au bout de laquelle se trouvait un espace divisé en deux pièces : une servant de toilettes et l'autre tenant lieu de salle de bain. Il s'agissait de murs en parpaings devenus verts de moisissure. Une bâche en plastique clouée à l'entrée servait de porte. Elle avait déjà tellement perduré qu'elle était graduellement passée de la couleur blanche à la couleur marron. Elle avait certainement accumulé au fil du temps des résidus de savon et les dégâts causés par les intempéries qui l'avaient d'ailleurs un peu déchiquetée, laissant ainsi entrevoir les jambes de ceux qui y faisaient leur toilette. Pour se laver, il fallait se rendre chez le seul voisin à avoir un abonnement SNEC (Société Nationale des Eaux) afin d'acheter de l'eau potable, revenir la mettre dans un seau, la puiser à l'aide d'un gobelet ou tout simplement en joignant les deux mains pour en verser sur le corps. Il n'y avait pas de toit, donc tout se faisait sous toutes sortes d'intempéries, le soleil ou la pluie. D'ailleurs, le sol était couvert d'un crépissage au sable. Pendant qu'on se lavait, le sable sautillait et recouvrait les pieds qu'il fallait encore rincer, après avoir fini de se laver. Le côté toilette était juste constitué d'un trou au milieu de l'espace. Pas d'endroits où poser ses pieds, pas de pot. Il était même possible de voir tout le contenu de la fosse, dès l'entrée. Des souris s'y baladaient paisiblement. Il se disait que l'une d'elles aurait mordu la fesse d'un des habitants. Quand il pleuvait, le salon était inondé. Il fallait se débarrasser de l'eau à l'aide des seaux, des gobelets, des serpillières et raclettes, après chaque pluie. À cause de ces nombreuses inondations, les murs de la chambre étaient couverts de moisissure. Le sol était sans cesse humide. Après avoir visité l'espace, je savais que j'allais survivre. J'étais préparée psychologiquement à toute adversité et cette chambre n'allait me coûter que la somme de dix mille francs CFA. Ce qui était inespérément abordable pour moi et impossible de trouver ailleurs. Je m'installai donc dans cette chambre, sans chaise, ni table, ni lit. Avec mes économies, j'avais pu me procurer un réchaud, du pétrole ainsi qu'une casserole et je vivais au jour le jour. Je n'avais aucun contact pour joindre Eléazar. Depuis son départ, il avait fait signe à peine deux fois.

J'avais environ trois mois de grossesse lorsque, couchée sur ce matelas constitué de mes vêtements enveloppés dans mon pagne et posé sur le sol humide, je pris la résolution d'entamer une conversation avec ce petit être qui grandissait dans mes entrailles : Mon enfant, lui dis-je, il n'y a que toi et moi à présent dans ce monde. Nous sommes abandonnés à nous-mêmes. Mais, j'ai la foi que mon Dieu veille sur nous. Néanmoins, faisons une alliance : je te promets de me battre comme une lionne pour m'assurer que tu aies tout ce qu'il te faut, en retour, je veux juste que tu sois bien portant puisque je n'ai même pas de quoi faire les visites prénatales. Deal ? Je ressentis comme un mouvement de « high five » dans mon ventre, pour sceller le deal.

Je continuais donc avec mon petit commerce, tout en allant à l'école. Après quelques mois, il m'était vraiment pénible de dormir sur mes vêtements au sol. J'en parlais à l'épouse de mon bailleur. Avec son mari, ils décidèrent de me vendre à crédit un matelas qui coûtait dix mille francs. Je me souviens de ce jour où j'avais enfin payé la dernière échéance et que le matelas m'appartenait désormais. Ce fut une grande célébration pour moi, toute une symbolique. En effet, c'était mon tout premier bien précieux que j'arrivais à acquérir, après un dur labeur. Ce jour-là, je fis même un tour à la boutique du quartier et m'offris une bouteille de pamplemousse bien glacé ainsi que du pain avec de la pâte à tartiner au chocolat, afin de célébrer cette grande réalisation.

J'arrivais au terme de ma grossesse. Je n'avais encore fait aucune consultation prénatale. Et, jusqu'au septième mois, je n'avais toujours aucune layette pour le bébé.

Dans ma classe, je faisais partie d'un petit groupe d'amies. Nous étions quatre filles, toutes de tribus différentes, une Bassa, une Sawa, une Béti et moi la Bamiléké. Nous nous amusions souvent à dire que nous représentions la diversité du Cameroun. Nous avions les mêmes objectifs, étudier et réussir nos examens avec brio. Nous passions très souvent du bon temps ensemble et partagions nos expériences. Elles savaient que je traversais des moments difficiles et étaient impressionnées de voir que malgré tout cela, je ne manquais pas les cours et j'avais toujours de bonnes notes. Un samedi, l'une d'elles m'informa qu'elles étaient en chemin pour me rendre visite. Elles avaient cotisé pour faire l'essentiel de la layette pour mon enfant, alors que je n'avais même pas encore pu acheter une seule couche. Elles m'encouragèrent à me rendre à l'hôpital, pour des consultations prénatales. Elles avaient déjà mis de côté une somme d'argent suffisante pour tous les frais y afférents. Au moins, on sera rassuré de la bonne évolution de la grossesse, avaient-elles ajouté.

Elles étaient toutes issues des familles aisées et vivaient dans des villas huppées. Elles n'étaient pas habituées au genre de cadre dans lequel je vivais, pourtant elles passèrent toute la journée avec moi dans mon taudis, sans aucun air condescendant. Nous étions parties au marché de Deido pour quelques emplettes. Nous avions cuisiné sur mon petit réchaud à pétrole puis nous avions mangé ensemble. À la tombée de la nuit, elles avaient pris congé de moi. Après leur départ, j'ai pleuré de bonheur. C'était le plus beau jour de ma vie, ma plus belle surprise. Les cadeaux de mes amies me touchèrent beaucoup. Mais, ce qui me marqua le plus, ce fut surtout le fait que des personnes qui n'étaient même pas des membres de ma famille et n'ayant aucune obligation à mon égard, avaient ainsi pris la peine de compatir à ma situation, sans me juger. Elles m'avaient aidée sans rien attendre en retour. Et, surtout, cette aide venait à point nommé. Dieu avait volé à mon secours à travers mes amies. C'était la plus belle preuve d'amour que je n'avais jamais expérimentée depuis ma naissance.

Quelques jours plus tard, je me rendis effectivement à l'hôpital de Deido pour ma première consultation prénatale. Dans le bureau du docteur, quelque chose de fabuleux se produisit. Il était surpris que je vienne faire ma première visite presque à terme, à plus de sept mois de grossesse. Il me demanda pourquoi je n'avais pas fait les visites plus tôt. Je lui fis part de mes déboires et de mes difficultés financières. J'avais également précisé que c'était par la grâce de Dieu que je pouvais même consulter ce jour-là, car c'étaient mes amies de fac qui avaient cotisé afin de payer la consultation. Il me demanda où se trouvaient mes parents. Je lui répondis que ma mère se trouvait à Bandjoun et mon père à Mbouda. Comme par coïncidence, il était aussi originaire de Mbouda. Après la consultation, je fus heureuse d'apprendre que tout se passait bien jusque-là et que j'attendais un garçon. Le médecin m'avait prescrit des suppléments de fer. Il m'avait aussi remis son numéro de portable en me demandant de l'appeler dès que possible, afin de faire la connaissance de sa famille. Ce que je fis quelques jours plus tard. Il vivait avec son épouse, ses enfants et sa belle-mère dans un appartement à Bépanda. Sa famille était très sympathique. Nous avions dîné ensemble ce soir-là.

Mon nouveau médecin me proposa de me consulter dorénavant dans la salle de soins qu'il avait chez lui. C'est ainsi qu'il commença à me suivre gratuitement et assidûment pendant le reste de ma grossesse. Ce fut pour moi un très grand soulagement. J'avais ainsi la confirmation que même si ma famille m'avait abandonnée, Dieu restait présent dans ma vie et celle de mon fils, à travers tous ces bienfaiteurs.

Le temps passait et je n'avais toujours aucune nouvelle du père de mon enfant. Sa famille disait ne pas en avoir non plus. Cependant, ma foi grandissait au jour le jour.

Seule dans ma chambre, j'avais la certitude que la seule personne sur qui je pouvais compter, c'était Dieu. Tous les dimanches, même si je n'avais pas de l'argent pour le taxi, j'allais suivre la messe à la Cathédrale. J'enfilais alors un kaba et je sortais très tôt le matin. Je marchais tout doucement, pendant environ une heure. Je m'asseyais toujours au même endroit, au fond de la salle, au cas où j'aurais un malaise. Un dimanche, un monsieur debout près de moi, se tourna et me demanda :

— Mademoiselle, êtes-vous souffrante ?

— Non, je ne suis pas souffrante. Je suis juste un peu fatiguée à cause de la grossesse, répondis-je.

— Vous avez l'air faible, veuillez bien vous alimenter, me recommanda-t-il.

— Je fais de mon mieux. Je suis étudiante et me débrouille toute seule depuis que je suis enceinte, ajoutais-je.

— Tenez, je m'appelle Monsieur Efouman, voici ma carte. Dimanche prochain, jetez un coup d'œil devant et venez me voir. J'y suis souvent avec ma famille. Je devais avoir un léger retard, c'est pourquoi je suis derrière aujourd'hui.

Le dimanche suivant, à la fin du culte, je me dirigeai devant pour faire la connaissance de la famille de Monsieur Efouman. Il était là avec son épouse et ses enfants. Il me les présenta et me remit une enveloppe tout en me souhaitant un bon dimanche. Sur le chemin du retour, je ne pus m'empêcher d'ouvrir l'enveloppe. Grande fut ma joie quand je vis trois billets de dix mille francs CFA et une note disant : Prenez soin de vous alimenter convenablement pour le bien de votre bébé. Que Dieu vous fortifie. J'étais tellement submergée de bonheur que je pleurais à chaudes larmes. Encore un inconnu qui se souciait de mon bien-être et celui de mon enfant. Le Seigneur avait encore agi à travers un bon samaritain, au moment où j'en avais le plus besoin.

Dans mon quartier, je m'étais fait quelques amies parmi

lesquelles Linda, une dame métisse qui vivait avec sa mère, non loin de chez moi. Bien qu'ayant un parent européen, Linda avait mené l'essentiel de sa vie au Cameroun. Très ancrée dans la culture du pays, mon amie avait même ouvert un petit business non loin du «Feu Rouge» Bessengué : un restaurant offrant des saveurs camerounaises en particulier et étrangères aussi.

J'étais dorénavant moins active dans mon commerce. J'avais terminé ma première année avec de très bonnes notes et j'étais presque à terme de ma grossesse. Je passais donc de temps en temps au restaurant de mon amie pour lui donner un coup de main. À la fermeture, je restais chez elle jusqu'à ce que je tombe de sommeil et je rentrais dormir chez moi. Un soir, de retour du restaurant, nous étions assises au salon avec la maman de Linda, concentrées devant une série télévisée. À un moment, je remarquai que sa mère me fixait longuement du regard. Elle me demanda :

— Ma fille ça va ?

— Oui maman, pourquoi ?

— Je remarque que tu changes de position toutes les minutes sur le fauteuil. Tu as des malaises ? Si oui, il faut aller voir ton médecin au plus tôt, car tu es déjà presque à terme.

J'avais toujours essayé d'être brave quand j'avais de petits malaises, mais à ce moment précis, je réalisais qu'effectivement, je ressentais une douleur inhabituelle au bas du ventre. Je retournai donc à la maison m'apprêter pour me rendre chez mon médecin. Je pris la peine de poser mon sac d'accouchement que mes amies m'avaient offert sur le lit et je ne fermai pas la porte de ma chambre à clé. Je pourrais ainsi demander à quelqu'un de me l'apporter, si je venais à être réellement internée pour l'accouchement.

Il était presque 21 h 30 quand j'arrivai enfin chez mon médecin. Il me consulta rapidement et confirma que j'avais déjà des contractions et que je devais certainement accoucher sous peu. Il se demandait d'ailleurs comment j'avais pu trouver des forces pour monter les escaliers jusqu'au deuxième étage. Malheureusement, il s'apprêtait à voyager de nuit avec sa famille, car ils avaient un deuil au village. Il me recommanda de prendre immédiatement un taxi pour l'hôpital de Deido.

À mon arrivée à l'hôpital cette nuit-là, la maternité était particulièrement animée. C'étaient des cris, des hurlements, des femmes qui pleuraient, qui se tordaient de souffrances. Certaines ressentaient la douleur des contractions dans le bas du ventre. Pour d'autres, elle se situait dans le bas du dos et s'étendait vers l'avant. Dans tous les cas, la douleur des contractions fait mal et même très mal. Plusieurs femmes trouvent que cette douleur ressemble à celle des crampes menstruelles, mais en plus fort. À la vue de cette scène presque effrayante, je me préparais déjà psychologiquement à la douleur sans doute la plus fulgurante jamais vécue.

Les infirmières ne m'accordaient aucune attention. Néanmoins, je me rapprochais de l'une d'elles qui me lança :

— Tu es là pourquoi ?

— Pour accoucher, répondis-je

— Tu n'as pas l'air d'être à terme, me dit-elle, avant d'ajouter : vous les jeunes filles d'aujourd'hui, dès que vous avez un petit malaise, vous courrez à l'hôpital pour fatiguer les gens, juste pour que l'onconstate après qu'il n'en était rien.

Elle éclata ensuite de rire avec ses collègues. Pendant ce temps, le fœtus à maturité n'attendait que son expulsion.

Une maman, couchée sur un lit avec des jumeaux, me fit signe de la main et me dit : Ma fille, va insister là-bas pour qu'elles te consultent. Quand j'observe tes pieds, par expérience, je suis convaincue que tu as déjà des contractions.

Je retournais donc vers les infirmières en mentionnant

cette fois-ci le nom de mon docteur qui venait de m'examiner et qui avait recommandé que je vienne de toute urgence à l'hôpital. L'une d'elles m'installa enfin sur un lit de maternité en disant: Pas de problème, puisque tu t'impatientes, couche-toi là-bas et attends. Mais sache que si tu accouches d'un prématuré, ça va te coûter au moins 750 000 francs CFA, pour quelques jours seulement.

Quelque temps après, je commençais vraiment à me sentir très mal et la pression devenait énorme au niveau de mon bas-ventre, mais je retenais mes émotions et faisais des efforts pour ne pas pleurer. Vu que je venais d'arriver et que mes prédécesseuses criaient tellement, je me disais que je devrais certainement m'attendre à une douleur encore plus aigüe. Il fallait donc que je me ressaisisse et que j'économise mon énergie. Après environ deux heures, l'infirmière vint me demander pourquoi j'étais si calme. Elle m'examina et constata que le bébé était sur le point de sortir. Elle fit signe à l'une de ses collègues de la rejoindre et elles apprêtèrent ensemble leurs instruments et le nécessaire pour recevoir mon bébé. Entre-temps, j'avais pu joindre la petite sœur d'Eléazar qui m'avait rejointe à l'hôpital, après avoir récupéré mon sac d'accouchement.

Plus la douleur s'accentuait, plus je supportais, jusqu'à ce fameux moment où je ressentis un violent besoin d'aller au petit coin. Quand je le fis savoir à l'infirmière, elle me dit alors que c'était plutôt la tête du bébé. Et, avant même que je n'eusse eu le temps de pleurer, crier et me tordre de douleurs, mon fils était déjà né. Les deux infirmières crièrent et j'entendis l'une d'elles dire: Oh, il est costaud hein! Avec ton petit ventre là, on ne pouvait même pas imaginer que tu étais à terme hein! Hummm tant mieux. Ça veut dire que tu n'as pas à t'inquiéter pour les couveuses de prématurés.

Je n'en revenais pas. Il était presque minuit et l'accouchement était bel et bien terminé. Mais, j'avais tellement supporté la douleur que j'étais à présent, très épuisée. Pourtant, lorsque l'infirmière m'amena mon fils après l'avoir nettoyé et le posa dans mes bras, en le voyant là, sa poitrine contre la mienne, je me mis à pleurer à chaudes larmes. Quelle bénédiction! Je rendais vraiment grâce à Dieu. Ma grossesse et mon accouchement s'étaient passés dans de très bonnes conditions.

Le matin au réveil, j'attendais mon tour dans la salle de bain pour faire ma toilette. C'était une grande salle comportant un grand espace et des compartiments où chacune entrait avec son seau et son gobelet pour se laver. À l'extérieur, dans le grand espace, certaines accouchées, accompagnées de leur maman, de leur sœur ou même d'une amie, se faisaient masser avec des serviettes chaudes. D'autres se faisaient frapper de l'eau chaude sur le ventre avec un balai. La maman à côté de moi, ayant remarqué que j'étais juste entrée pour me laver et que je m'apprêtais à repartir, m'interpella :

— Ma fille, tu viens d'accoucher?

— Oui maman, répondis-je

— Et tu ne te fais pas masser?

— Je suis seule maman.

— Attends, je finis avec ta sœur et je te masse, me dit-elle.

J'étais un peu étonnée de voir une maman se faire ainsi du souci pour moi. Elle prit alors de l'eau chaude dans un récipient qu'elle avait apporté et me massa longuement le ventre. Cela te permettra de te libérer rapidement de tout résidu de la grossesse et d'aplatir ton ventre au plus vite, m'avait-elle dit. Elle me recommanda de continuer cet exercice à la maison deux fois par jour et d'alterner avec un bain de vapeur ou «sauna vaginal». Cela consistait à mettre de l'eau chaude dans un seau et s'asseoir dessus pendant une dizaine de minutes afin que la vapeur puisse guérir, raffermir et purifier les parties intimes.

De retour à la maison avec mon bébé, je me demandais comment j'allais m'organiser. Je ne pouvais pas le laisser tout seul et aller me débrouiller comme d'habitude. La rentrée académique aussi approchait déjà et je souhaitais faire ma deuxième année au British College. Tout cela s'annonçait vraiment difficile, mais je restais confiante. Je trouverai certainement une solution. En allant acheter de l'eau potable chez ma voisine comme d'habitude, elle constata que j'avais accouché. Elle me félicita et me dit :

— Ta mère viendra sûrement te faire le nkui, n'est-ce — pas ? Tu sais que ce plat est très important pour te nettoyer le ventre.

— Non maman, elle ne pourra pas, répondis-je

— Oh désolée de l'apprendre. Bon dès que possible, j'en ferai pour toi. D'accord ?

— OK, merci beaucoup maman.

Quelques jours plus tard, elle vint me rendre visite avec du couscous très chaud, des légumes sautés et du nkui (sauce gluante aux épices, très réputée à l'Ouest du Cameroun comme mets spécial et surtout, pour les nouvelles mamans). Elle s'assit sur un tabouret et moi sur mon lit. Elle saisit une feuille de bananier qu'elle avait pris la peine de laver au préalable, de passer un peu au feu pour ramollir et purifier. Elle la plia et l'utilisa comme support, pour mettre un peu de couscous de maïs bien chaud et aussi un peu de nkui que je devais avaler à chaque fois et ensuite, accompagner de légumes. Elle n'arrêtait pas de vanter les vertus de ce mets en indiquant que cela m'aiderait à nettoyer mon ventre et à produire assez de lait pour mon fils. Elle me demanda pourquoi ma mère n'était pas venue pour mon accouchement. Je répondis qu'elle n'était probablement pas au courant. Je n'avais pas pu entrer en contact avec elle, surtout compte tenu de la déception que j'avais causée dans ma famille. Elle me conseilla d'écrire quand même une lettre et d'aller à la gare des voyageurs chercher des personnes en partance pour Bandjoun et qui, éventuellement, sauraient où trouver la famille de ma mère. Le beau-frère de maman étant une personnalité très connue à Bandjoun, il me fut facile de trouver quelqu'un pour lui porter son courrier.

Aussitôt après avoir reçu la lettre, ma mère s'apprêta à voyager avec ma sœur cadette qu'elle n'aurait pu laisser seule à Bandjoun. Dès leur arrivée à Douala, maman me reprocha sévèrement de n'avoir pas été informée plus tôt de la venue du bébé. Néanmoins, elle était toute heureuse d'être là et de pouvoir prendre son petit-fils dans ses bras. Tous les quatre, nous devrions désormais partager cette même chambre humide. Fort heureusement, j'avais pu acquérir un lit sur lequel le matelas était désormais posé. On avait tant bien que mal réussi à se serrer là-dessus.

Toujours aussi entreprenante, maman me demanda de lui trouver une table et un livreur de pain. Elle allait préparer et vendre du haricot à l'entrée de la maison. Et, comme la rentrée scolaire approchait, cela fut une très bonne idée pour des revenus supplémentaires. Maman se levait alors très tôt, apprêtait le haricot, portait son sac de pain ainsi que le bébé et s'installait juste là où passaient les enfants du quartier pour aller à l'école. Après maximum deux heures d'horloge, elle avait tout vendu. Son dynamisme me donnait une certaine tranquillité d'esprit. Je pouvais donc sortir et me battre au maximum, sans trop me soucier de ce qui se passait à la maison. Car ma génitrice assurait vraiment. Ma petite sœur fut inscrite dans un collège de la place et tout se passait aussi bien pour elle.

Je repris mes activités. Cependant, entre la vente de friperie devenue improductive et ma deuxième année académique au British College, il fallait me battre davantage pour ne plus gêner mon oncle qui avait de nombreux autres enfants à s'occuper. C'est ainsi que je commençais à chercher un travail à temps partiel qui s'accorderait avec mon programme de cours. En semaine, je prenais l'annuaire des entreprises. Je notais la localisation de celles qui étaient non loin de chez moi et je partais me renseigner afin de déposer ma candidature. Et, pour multiplier mes opportunités, il me vint à l'idée de me rapprocher des fidèles de la Cathédrale. Tous les dimanches, après le culte, je me plaçais à la sortie arrière avec mes notes sur lesquelles j'avais mentionné : BESOIN URGENT D'UN EMPLOI. J'y avais également inscrit mon nom, mon numéro de téléphone et mon niveau d'études. Comme je n'allais pas avoir assez de temps pour leur parler, je me fixais la règle de 60 secondes, pour convaincre quelqu'un de m'aider à trouver du travail. Bonjour. Je m'appelle Prudence, je suis étudiante en deuxième année de Management Professionnel. J'ai un enfant et une famille qui ont besoin de mon aide. Il me faut de toute urgence trouver du travail, quel que soit le secteur d'activité. Pouvez-vous m'aider s'il vous plait ? Pour la plupart, ils me disaient : Je vais voir ce que je peux faire. Et là, je leur remettais mes notes avec mes informations. Pour ceux qui étaient pressés, je leur remettais juste mes coordonnées. Quelques semaines plus tard, je reçus le coup de fil d'un fidèle de la Cathédrale : bonne nouvelle, il y avait une ouverture dans un restaurant français à Akwa, avec des horaires suffisamment flexibles, pour me permettre de continuer aisément mes cours en deuxième année. Le propriétaire du restaurant était un sénior d'environ 60 ans, très sympathique à première vue. Il me proposa un poste vacant de serveuse. Ma prédécesseuse venait de convoler en justes noces avec un homme blanc, me laissant ainsi un salaire mensuel de 50 000 francs CFA pour moi toute seule, avec en plus, la possibilité de pourboires alléchants. Quelle aubaine ! Je ne pouvais pas manquer cette opportunité inespérée. Je décrochais le poste instamment.

Le premier jour fut mon jour de formation par une serveuse expérimentée. Les clients étaient vraiment généreux. Ils étaient pour la plupart des Européens, à l'exception d'une poignée de noirs, apparemment très riches. Je rentrais tous les jours avec un pourboire d'environ 5 000 francs CFA.

Un soir, un client qui venait une fois par semaine, engagea une conversation avec moi :

— La plupart des serveuses qui travaillent ici ont fini par se marier avec un blanc et s'en aller. Mais, depuis que je viens ici, je ne te vois même pas flirter avec les clients. Ton attitude est un peu étrange et tu sembles ne pas être totalement à ta place. Pourquoi es-tu donc ici ? me demanda-t-il.

— Eh bien, je suis étudiante en Management et j'ai besoin d'une source de revenus pour m'occuper en même temps de mon fils et de ma famille, jusqu'à ce que je termine mes études et que je trouve mieux.

— Humm, intéressant ! Je me disais bien que tu avais l'air trop intellectuelle. Et avec ce travail, tu t'en sors ? me demanda-t-il, en éclatant de rire.

— Je suis contente de ce travail pour le moment, puisqu'il m'aide à subvenir aux besoins de ma famille.

— Ah bon ? Sans vouloir sembler indiscret, quel salaire reçois-tu ici ? me demanda-t-il à nouveau, l'air curieux.

— 50.000 francs, répondis-je.

— Alors, je vais te surprendre. Si je te donne l'équivalent d'une année de ton salaire, peux-tu me promettre que tu partiras d'ici pour te concentrer à tes études ?

— Bien sûr ! Sans hésiter ! Je répondis ainsi en me disant que c'était une bonne plaisanterie.

— Dans ce cas, voici ma carte, je rencontre des partenaires d'affaires demain à 13 h au Bistrot d'Akwa Palace. Si tu peux, passe vers 12 h 30, j'y serai déjà. Tu pourras demander à me voir quand tu y seras.

Je n'en revenais pas. Il avait pourtant l'air tout sérieux. De toutes les façons, à cette heure-là, je serai disponible.

Je me dis alors que je n'avais rien à perdre. De retour à la maison, j'en informais ma mère qui me dit: Hummm ma fille, ça me paraît bizarre qu'un inconnu veuille te donner un an de ton salaire pour que tu te concentres sur tes études. Mais bon, tu es un enfant de Dieu. Vas-y. Le lendemain, pendant ma pause à l'école, après dix minutes de marche, j'étais au lieu du rendez-vous. C'était sur la même bâtisse que le célèbre hôtel du même nom, mais l'entrée du bistrot était plus éloignée de l'entrée principale. Une fois à l'intérieur, je ne voulais pas chercher mon bienfaiteur du regard, l'espace étant trop large. Je montrais donc rapidement sa carte au personnel et je fus aussitôt dirigée vers un coin VIP où il était confortablement installé.

— Bonjour ça va? Installe-toi et commande à boire si tu veux bien.

— Je vais bien, merci. Je dois retourner à l'école dans un instant, répondis-je

— Eh bien dans ce cas, voilà, j'ai une enveloppe pour toi. Tu y trouveras ton salaire annuel comme promis. Bonne chance avec la suite de tes études.

— Je tendis les deux mains, pris l'enveloppe, le remerciai et m'en allai.

Une fois sortie du bistrot, je me demandais si je rêvais ou alors si c'était une plaisanterie de mauvais goût. Je ne pus retourner à l'école ce jour-là après la pause. Je me sentais si agitée. J'étais directement rentrée à la maison, tout expliquer à ma mère. Je craignais tellement d'ouvrir cette enveloppe à cause des histoires de sorcellerie et de pratiques occultes dont on parle souvent. Je tremblais de peur. Ma mère me dit: Je ne pensais pas que ce monsieur était vraiment sérieux dans ses propos. Quoi qu'il en soit, donne-moi l'enveloppe, je vais l'ouvrir. Si ça doit causer du tort à quelqu'un, il vaut mieux que ce soit à moi. Elle ouvrit l'enveloppe, compta les billets et me lança en riant: «apparemment, le gentleman a même prévu un pourboire pour toi». Il y avait non pas

600 000 francs CFA correspondant à mon salaire annuel, mais plutôt la somme de 700 000 francs CFA. Ne t'inquiète pas ma fille. Ne soyons pas négatives, il existe encore des personnes au grand cœur là dehors. Je pense aussi que c'est une fois de plus Dieu qui exauce tes prières. Maman se voulait rassurante.

Le lendemain, je déposai ma démission au restaurant. Mon patron me demanda de rester encore quelques jours, le temps de trouver une remplaçante. En plus de sa sympathie, travailler pour lui avait tellement soulagé ma famille que je ne pus lui refuser ce service.

À mon arrivée au restaurant un soir, le monsieur qui m'avait aidée à trouver ce boulot prenait un verre et en me voyant arriver, s'était empressé de prendre de mes nouvelles, comme d'habitude. Je lui expliquai alors que j'allais arrêter de travailler bientôt afin de m'adonner davantage à mes études. J'en profitai d'ailleurs pour le remercier, une fois de plus, de m'avoir trouvé un emploi dans ce restaurant. Il salua ma décision en ajoutant d'ailleurs qu'il me trouvait vraiment très ambitieuse et qu'il avait souvent parlé de mon esprit de combattante à sa famille. C'est ainsi qu'il m'invita à dîner avec toute sa famille quelques jours plus tard. Je n'aurais pu décliner une telle proposition, eu égard aux valeurs familiales et chrétiennes de ce fidèle de la Cathédrale. J'avais repris confiance en l'espèce humaine, compte tenu de toutes ces multiples actions salvatrices gracieusement posées à mon endroit ces derniers moments. Pourtant, cette fois-ci, mon «bienfaiteur» était véritablement un loup déguisé. Oh, quelle naïveté de ma part !

Comme convenu, il me prit un soir au restaurant et me conduisit dans sa belle maison située à Bonanjo, un des quartiers les plus huppés de Douala. Durant le trajet, nous avions une très belle conversation ; ce qui me rassura davantage. D'ailleurs, je n'avais plus rien à craindre, n'est-ce pas? Pourtant, à notre arrivée dans sa belle villa, tout était calme. Pas une seule âme qui y vive, ni personne pour lui ouvrir le portail. Il m'offrit à boire dans son somptueux séjour et me dit: Ma famille va arriver incessamment.

Je ne sais pas exactement ce qu'il y avait dans le verre qu'il m'avait servi, mais je me souviens que j'étais à moitié consciente quand cet homme d'environ 55 ans avait abusé de moi. Je n'avais pas eu assez d'énergie pour me battre, ni même pour crier. Qui aurait d'ailleurs pu m'entendre, dans une si grande maison, à Bonanjo? Après son forfait, il fit tranquillement appel à un taxi, paya pour la course et demanda au chauffeur de me déposer chez moi. Au point où j'en étais, le plus important était d'arriver vivante chez moi. Je venais une fois de plus, à l'âge de 21 ans à peine, de subir un énième rapport sexuel sans mon consentement. Comment un chrétien, un père de famille, ayant sûrement une mère, des sœurs, une épouse et sans doute des filles de mon âge, pourrait-il vivre paisiblement après de tels agissements animaliers? C'était difficile à comprendre, mais je n'avais plus que mes yeux pour pleurer. Je me sentais si sale, tant humiliée, bafouée dans tous mes droits. Décidément, les hommes se seraient octroyé, tout naturellement, le droit de disposer de nos corps de femme, à leur guise, selon leur bon vouloir et pire encore, nous ne saurons compter sur les hommes de justice pour nous protéger.

Chapitre 5
Ascèse et Rêves

Ah! Les blessures de femme! C'est vraiment effroyable de voir ce que la gent féminine vit au quotidien, des abus de toutes sortes, même ceux qu'on imaginerait le moins. Malheureusement, la règle d'or serait fatalement le silence. Surtout quand la pauvreté familiale et le bouleversement parental s'en mêlent.

Je me souviens encore de mon désarroi lorsque mon amie à qui j'avais parlé de tous mes traumatismes me confia que le mari de sa tante qui l'hébergeait abusait régulièrement d'elle. Mais quand elle en eut marre et qu'elle en parla enfin à sa tante, celle-ci, sans aucune hésitation, la jeta immédiatement à la rue en lui rappelant que sans cet oncle, toute la famille serait complètement noyée dans une pauvreté extrême.

Entre mes rêves et tous ces déchirements, la rage de vaincre, d'offrir une meilleure vie à ma famille, l'envie de vivre pour un avenir glorieux constituait désormais mon leitmotiv. Je continuais à faire mon petit bout de chemin avec Dieu mon seul rempart. C'est ainsi que, lorsque je retrouve Nelly, une amie d'enfance perdue de vue depuis plusieurs années, cela n'a rien d'un hasard pour moi. Après une longue conversation, Nelly m'invita à partager un repas le jour suivant. À mon arrivée au restaurant indiqué, elle y était déjà confortablement installée, avec son compagnon, qu'elle s'empressa de me présenter. C'était un féru de l'animation radio et télévision. Avec beaucoup d'enthousiasme, je lui partageai les souvenirs de mon passage dans le programme Fréquence Laser de la CRTV Ouest. Il me proposa aussitôt de rejoindre son équipe à Sweet FM. Je saisis cette offre sans hésitation, l'animation et le journalisme m'ayant toujours passionnée. J'étais alors sur les ondes à la radio tous les matins à 5 h, pendant quelques heures, au quartier Kotto, avant de me rendre à l'école, à Akwa. Cette très belle expérience de bénévolat de quelques mois à peine me laissa une très bonne impression. J'épluchais désormais toutes les opportunités d'emploi stable dans des chaînes de radio et de télévision de la place.

Ce fut donc avec célérité que j'avais déposé ma candidature pour le recrutement lancé dans une chaîne de radio et télévision dans la ville de Douala. Nous étions plus de cent candidats pour deux postes à pourvoir. Et, après avoir passé une série d'interviews et des tests sur la diction, l'écriture, la gestion d'une interruption à l'antenne pour annoncer une soudaine nouvelle, je rentrais chez moi, très confiante. Le coup de fil reçu quelques jours après me donna raison. J'étais effectivement sur la «short List» des cinq candidats retenus. J'allais enfin réaliser mon rêve de devenir présentatrice comme Denise Epoté et Anne Marthe Mvoto.

J'avais rendez-vous la semaine d'après pour discuter des clauses de mon contrat d'embauche. Dès mon arrivée, je fus reçue par le directeur de cette chaîne. Il me félicita d'avoir été retenue pour le poste alors que la compétition avait été très rude. Il m'annonça ensuite que la rémunération serait de 45 000 FCFA la première année et probablement 75 000 FCFA l'année d'après, à la suite d'une bonne performance. Je n'en revenais tout simplement pas. J'étais désillusionnée. Ce salaire était moindre que celui que je recevais en tant que serveuse au restaurant. Donc, ce métier si glamour, qui me fascinait tant, ne pourrait même pas me permettre de payer mes factures, mon transport, nourrir ma famille et surtout m'occuper de mon fils toute seule ? Après quelques minutes de silence et de réflexion, ma réponse fut sans appel. Non, je ne pouvais pas accepter cette offre, aussi magnifique fût-elle, l'occasion de réaliser mon rêve. Non, ça ne pouvait être au prix d'une vie de clocharde. Le directeur me demanda de prendre du temps pour réfléchir et de rappeler le lendemain. Mais, mon refus resta catégorique.

Cependant, mon rêve de devenir présentatrice demeurait. Yannick, le meilleur ami du compagnon de Nelly, mon amie d'enfance, m'avait orientée vers le métier de la communication, même s'il ne s'agit pas d'une chaîne de télévision, avait-il alors soutenu. Il me fit part de l'opportunité qu'offrait l'agence de communication EXP. Momentum basée à Akwa, à Douala. Cette agence recrutait des hôtesses évènementielles pour une paie journalière de 10 000 FCFA, en plus du repas, logement et transport offerts. Je pourrais ainsi continuer mes études et de temps en temps, selon ma disponibilité, servir comme hôtesse. Un per diem était également prévu, pour des services hors de la ville. L'agence ayant retenu ma candidature, elle m'offrait environ 10 jours de travail par mois, principalement les week-ends. Il s'agissait d'accueillir et d'installer les participants lors des grands évènements. Nous avions ainsi l'opportunité de faire la rencontre des personnes influentes et célèbres. Certaines de ces célébrités sollicitaient la compagnie des hôtesses après les évènements. Cette offre supplémentaire ne m'intéressait pas du tout. Elle ne faisait d'ailleurs pas partie des clauses de mon contrat de travail sur le moment. Je rentrais donc aussitôt, après chaque prestation, étudier mes leçons et m'occuper de mon fils. Cette attitude professionnelle me distinguait nettement de mes collègues et attira l'attention des responsables de l'agence. Ceux-ci n'avaient pas tardé à m'aligner parmi les trois personnes sélectionnées pour travailler en qualité de «Brand Ambassador» Orange, afin de présenter à plein temps, les services de «roaming» de l'opérateur téléphonique à l'aéroport de Douala, pendant les vacances scolaires.

Ma deuxième année académique au British College s'était bien déroulée. Malheureusement, à la même période, le ministère de l'Enseignement Supérieur publia une liste d'institutions universitaires non accréditées et mon école en faisait justement partie. J'avais donc en vain étudié sans relâche et dépensé des sommes faramineuses pendant tout ce temps? Car je n'allais bénéficier d'aucun document certifiant mes deux années académiques dans cette école. Probablement, leur situation fut régularisée plus tard. Mais moi, j'avais décidé de mettre un terme à mes études et d'embrasser totalement la vie active. Je ne rêvais que d'un emploi stable, avec un salaire minimum de 100 000 FCFA, et aussi d'un bon mari. J'aurais ainsi réussi ma vie et cela me rendrait certainement heureuse. Ma mère me proposa d'emmener mon fils à Bandjoun afin que je puisse me battre pour l'atteinte de mes objectifs. Je leur enverrai alors le nécessaire pour leurs besoins.

L'offre de Momentum était donc arrivée au moment opportun. Il me fallait désormais un revenu plus stable. La négociation de ma compensation se passa plutôt bien. J'allais gagner bien plus que ce que je souhaitais. L'agence me proposait une compensation de base, plus des frais supplémentaires pour mon transport. L'aéroport étant assez distant de chez moi, je prenais un taxi dépôt[8], après les vols tardifs du soir. Mes deux collègues et moi avions pour rôle d'approcher les passagers qui arrivaient à Douala et de les convaincre d'utiliser le service roaming Orange. J'éprouvais un énorme plaisir à communiquer avec des étrangers et à leur vendre nos services. J'étais vraiment dans

---

8. Le dépôt ou course permet d'avoir un taxi pour soi et d'être conduit à destination sans détours

mon élément : l'éloquence, le sens de la persuasion, la vente en général. Cela faisait partie de ma personnalité.

Pendant ma mission à l'Aéroport de Douala, je fis la connaissance d'un employé de la compagnie aérienne CAMAIR (Cameroon Airlines). C'était un jeune homme de teint noir, très grand de taille et très beau, avec une démarche élégante, qui le rendait davantage séduisant. Je n'étais pas disposée à accorder de nouveau ma confiance à la gent masculine, mais Elvis, très sympathique, était en plus insistant et persuasif. Nous ne tardâmes donc pas à devenir très proches. Parfois, à mon retour du travail, je fuyais la solitude de chez moi et me réfugiais dans son appartement. Elvis était un peu vieux jeu et surtout, très exigeant. Ses repas devaient être faits et servis d'une manière exceptionnelle. Chose pas du tout embêtante, encore moins une raison valable pour rompre une relation, mais les démons de mon passé me hantaient toujours. Encore traumatisée, j'avais sûrement manqué de vivre une belle histoire d'amour, car Elvis était absolument charmant et attentionné.

Quelques mois plus tard, le projet roaming à l'aéroport de Douala était arrivé à son terme. L'agence avait décidé de retenir et de former une seule personne pour un projet évènementiel. J'avais donc obtenu mon premier contrat à durée indéterminée. Et, en ma qualité de Chef de projet, j'avais un salaire décent et de nombreux avantages. J'étais en charge d'un portefeuille clients, principalement des multinationales parmi lesquelles celle qui nous avait confié le lancement d'un nouveau produit. La première réunion avec ce client allait tout simplement chambouler le reste de mon existence.

Ce jour-là, je m'étais rendue à leur direction générale avec le directeur de notre agence et mon collaborateur sur ce projet. Une fois installée dans la salle de réunion, mon regard croisa celui du directeur qui devait être notre interlocuteur chez le client. C'était un jeune homme d'environ 28 ans, grand, noir, d'une élégance particulière. Il était vêtu d'une chemisette «afritude» brodée. Dès qu'il prit la parole pour piloter la séance de travail, son éloquence remarquable me séduisit immédiatement. Tout au long de la réunion, nos regards se croisaient parfois. Cela ne manqua pas d'attirer l'attention de mon collaborateur, qui m'en fit d'ailleurs la remarque, à la fin de la réunion.

— Hummm, que se passe-t-il? Tout le monde a dû constater que vous vous dévoriez du regard, Stone et toi! me dit-il en murmurant pour ne pas attirer l'attention de notre patron qui discutait juste à côte avec Stone.

— Ah bon? Désolée, je ne savais pas que c'était si flagrant. Je sais que ce n'est pas professionnel. Je vais faire des efforts, répondis-je.

— Ce serait mieux ainsi. Bon, attends-nous là, à l'entrée. Le boss et moi allons chercher la voiture au parking, ajouta-t-il.

Dès qu'ils eurent le dos tourné, Stone me rejoignit aussitôt en me tendant la main, pour me souhaiter un bon week-end. Je sentis qu'il y avait discrètement déposé quelque chose. Je gardai alors ma main fermée jusqu'à ce qu'il s'éloigne. Et, en l'ouvrant, je vis qu'il m'avait remis une carte avec son numéro personnel. C'était clair qu'il y avait une forte attirance entre lui et moi. On aurait dit un coup de foudre. Et, dès ma sortie du bureau ce vendredi soir, mon premier arrêt fut dans une cabine téléphonique, pour l'appeler. Autant j'aurais bien voulu attendre quelques jours, par orgueil, avant de le faire, autant je sentais une pression immense, une envie incontrôlable de l'appeler, d'entendre à nouveau le son de sa voix. À peine j'avais lancé l'appel et dit bonsoir qu'il avait déjà reconnu ma voix.

— Bonsoir, c'est…

— Oh, je sais qui c'est. Comment vas-tu Prudy?

— Très bien merci et toi ?

— Encore mieux, maintenant que je te parle. Écoute, ne dépense pas tes unités, raccroche, je te rappelle, d'accord ?

— Ok merci, mais je t'appelle d'une cabine téléphonique.

— Eh bien passe-moi donc ton numéro, je te rappelle.

— Euhhhh mon téléphone a quelques soucis, ça pourrait s'entrecouper pendant la conversation. Pas de soucis, je vais tout de même essayer.

Je lui passai donc le numéro de mon vieux téléphone Nokia 3310 que j'avais scotché à certains endroits et même attaché avec deux petites frondes pour maintenir la coque en place. Il me rappela aussitôt sur mon numéro personnel et nous eûmes une longue conversation malgré les multiples interruptions. Mon téléphone s'éteignait par intervalles, mais Stone ne se décourageait pas.

— Que fais-tu ce week-end ? Me demanda-t-il.

— J'ai prévu de voyager demain matin pour voir ma mère au village.

— Où se trouve ton village ?

— À Bandjoun, à l'Ouest.

— Oh, je sais où ça se trouve. C'est non loin de Bafoussam n'est-ce pas ? J'ai certains membres de mon équipe là-bas. Je viens même de m'inscrire dans leur tontine.

J'éclatai de rire. J'étais étonnée et amusée de voir un expatrié s'intéresser à la tontine, une pratique très répandue au Cameroun, permettant à un groupe de personnes de cotiser des fonds dans une caisse commune et dont le montant est remis à tour de rôle à chacune d'elles.

— J'ai une proposition à te faire, si tu veux bien ? Me dit-il.

— Dis-moi, répondis-je.

— On se voit demain et le week-end prochain, j'irais moi-même t'accompagner à Bandjoun. Qu'en dis-tu ?

Cette proposition me semblait à la fois surprenante et plaisante. Après juste un peu d'hésitation, je répondis par l'affirmative et il m'invita aussitôt à déjeuner le lendemain.

Il vint me chercher à l'entrée de chez moi pour le restaurant. Et, après avoir passé les commandes, notre forte attirance l'un pour l'autre eut aussitôt raison de nous. Nous nous embrassâmes alors langoureusement, là, ignorant le repas qui avait déjà été servi, oubliant même que nous étions dans un lieu public. Tout allait à une vitesse vertigineuse. Je n'avais pas le temps de réfléchir à quoi que ce soit, ou même de poser les bonnes questions. Je ne voulais plus passer une minute sans lui et, apparemment, c'était réciproque. Nous étions repartis du restaurant, sans avoir mangé, mais heureux comme deux tourtereaux. Il me proposa de dîner le même soir et d'aller danser ensuite. Vu la vitesse à laquelle les choses évoluaient entre nous, j'avais pensé qu'il ne serait pas prudent d'être seule en sa compagnie ce soir. Je lui avais parlé de mon amie et voisine Linda qui utilisait les produits de son entreprise dans son restaurant. Je lui proposai donc de l'inviter à se joindre à nous. Ce soir-là, quand Stone arriva à l'entrée de mon quartier, j'étais déjà prête. Il me demanda de le rejoindre dans sa voiture, en attendant mon amie. C'était un bonheur immense de le revoir. Je le trouvais encore plus beau, encore plus séduisant. La senteur enivrante de son parfum me caressait le nez. Il m'annonça qu'il avait un cadeau spécial pour Linda, pour son restaurant. J'avais pensé qu'il s'agirait certainement des échantillons de leur nouveau produit. Je courus remettre le paquet à mon amie qui finissait de s'apprêter. Elle le posa sur le lit, le temps de se chausser et moi, je me dépêchai de retrouver mon prince charmant. À peine de retour dans la voiture, mon téléphone sonna :

— Mais, tu es folle ? Dit Linda. Ce cadeau porte ton nom !

— Comment ça ? Je regardais Stone pendant qu'elle criait.

— Oh, il est adorable ! Il t'a offert un téléphone.

— Quoi ? Ce n'est pas possible ! Je pensais que c'étaient des produits pour toi ! Ok viens vite !

Je me tournai pour regarder Stone d'un air inquisiteur. Il se tordait de rire. Il s'arrêta ensuite et me dit qu'il s'était trompé de paquet. Il prit alors un deuxième sachet à l'arrière de la voiture et me le tendit. Je l'ouvris et il contenait effectivement des échantillons pour le restaurant de mon amie. Il avait donc confondu les sachets, mais la surprise était immense pour moi. Quand Linda nous rejoignit et me tendit le carton, je n'en revenais pas. Un tout petit téléphone Panasonic bleu, plus minuscule que mon gros Nokia 3310, avec en plus, du contenu en couleur. Après les présentations et les explications sur la confusion qui venait de se produire avec les cadeaux, nous avions aussitôt pris la route pour un restaurant chic à Bonapriso, l'un des quartiers les plus huppés de la ville de Douala. Dans la boîte de nuit, Linda s'éclatait sur la piste de danse pendant que nous nous étions réfugiés dans la voiture, Stone et moi. Nos étreintes n'en finissaient plus, pourtant il fallait bien rentrer. Le week-end suivant, Stone m'accompagna, comme promis, à Bandjoun. Le voyage fut très agréable. Deux semaines plus tard, il délégua sa mission à son collaborateur et nous levions le camp tous les deux pour Kribi. Nous nous voyions pratiquement tous les jours pour des sorties, pour déjeuner ou pour dîner ensemble. Nous échangions sur de nombreux sujets et, plus le temps passait, plus il me parlait de lui, de sa famille, de son parcours. Convaincu que j'avais un potentiel énorme et que m'arrêter en si bon chemin serait un gâchis, Stone me motivait à reprendre mes études. Il m'expliqua qu'à son arrivée au Cameroun, seulement son hébergement à l'hôtel coûtait chaque jour à son employeur pratiquement mon salaire mensuel. Et la location de son appartement du moment valait pratiquement quatre fois mon salaire. Il me dit alors : Si seulement mon logement leur coûte si cher, peux-tu imaginer mon salaire mensuel ? Je ne viens pourtant pas d'une famille riche. J'ai fait mes études et bâti mon expérience comme tout le monde, mais j'étais suffisamment ambitieux pour briguer un poste de Directeur dans une multinationale qui m'envoya hors de mon pays, la Côte d'Ivoire. Tu as énormément de potentiel Prudy, mais le baccalauréat seul ne suffira pas. Il faut que tu continues tes études, même s'il faut que je les paye». Il était devenu ma principale source de motivation. Il me poussait à rêver grand, à découvrir mes talents. Il se souciait de moi, de mon avenir, de mon succès. Stone était jusque-là, l'homme dont j'ai toujours rêvé.

Un jour, Linda décida de donner son avis sur cette relation, sachant qu'elle était mon aînée et surtout, comme une femme mature et expérimentée. Elle soupçonnait mon prince charmant de cacher une vérité. Elle se demandait pourquoi Stone ne m'avait jamais invitée chez lui. Serait-il un homme marié ? J'avoue que cette éventualité me torturait vraiment l'esprit, mais je n'avais pas eu le courage de lui poser cette question difficile. Alors un jour, je lui posais le problème autrement : «Pourquoi ne m'invites-tu jamais chez toi ?» Sa réponse fut si simple : Eh bien, viens demain ! On va dîner ensemble et on passera du temps au bord de la piscine ! L'appartement était magnifique… Pas de traces d'une femme dans la maison. Juste une ménagère ivoirienne qui avait apprêté un repas typiquement ivoirien : l'Atchieke.

Pourtant, quelques mois plus tard, il m'appela un soir, la voix un peu lourde. Il me demanda si on pouvait se voir pour discuter. Il disait qu'il avait quelque chose à m'avouer et qu'il fallait absolument qu'on en parle de vive voix. Eh bien, il n'était pas le seul à avoir un secret puisque moi non plus je n'avais pas été totalement transparente. La rencontre eut lieu dans le restaurant de mon amie. Ainsi, je pouvais immédiatement être réconfortée si ce qu'il voulait m'annoncer était un coup de massue à me briser le cœur.

Après avoir commandé nos plats, nous avions aussitôt démarré la conversation. La tension et l'anxiété nous avaient assaillis tous les deux. Personne n'avait touché son repas. Cette fois-ci, nous n'étions pas occupés à nous dévorer du regard ou à nous amouracher comme à notre premier rendez-vous, mais un réel malaise s'était installé entre nous. Finalement, il me dit : Tu sais, tu es vraiment extraordinaire et je me sens très bien avec toi. Tu es le genre de femme que tout homme rêverait d'avoir pour épouse. À ce moment précis, je redoutais qu'une bombe allât bientôt m'atomiser. Ses propos étaient pourtant romantiques, mais je ne m'attendais pas à une demande en mariage. Je savais qu'à la suite de toutes ces déclarations d'amour, un «mais» s'annonçait. Alors, je le stoppais net et lui dis : Arrête de me torturer. Peux-tu aller droit au but, s'il te plaît? Que veux-tu m'avouer? Après un long moment d'hésitation, j'eus l'impression qu'il voulait s'en aller pour éviter de me confesser ce qui taraudait son esprit. Finalement, il me déclara : Prudy, mon Trésor, j'aurais tant aimé te rencontrer plus tôt, juste quelques mois plus tôt. En fait, euh, je euh, je me suis marié peu avant de partir de la Côte d'Ivoire, pour prendre fonction ici.» Oh la la, autant je m'en doutais, autant cela ne réduisait en rien la douleur que je ressentais. Mes yeux étaient larmoyants. Je sentais comme si un feu violent embrasait mon cœur et traversait tout mon être.

Stone m'emmenait partout avec lui. Nous nous voyions chaque jour. Il me demandait de l'accompagner à toutes ses invitations, déjeuners, dîners. Plusieurs fois, je suis allée le voir chez lui, au bureau. Il m'avait même inscrite dans toutes ses activités extra-professionnelles, y compris le Tae Kwon Do qu'il se donnait du plaisir à m'enseigner lui-même quand l'instructeur était indisponible. J'avais voyagé avec lui pour participer à divers séminaires de la Jeune Chambre internationale. Bref, je vivais dans le déni, dans l'évitement de ce sujet si sensible. Je craignais que ces moments magiques partagés avec celui que je considérais comme le plus grand amour de ma vie s'arrêtent, et en même temps, je ne pouvais pas me voiler les yeux plus longtemps face à cette triste réalité. Tout allait si bien entre nous. On aurait pensé à ces deux pièces de puzzle qui correspondent parfaitement. Et la suite logique aurait été de le faire rencontrer mes parents, qu'il parle de mariage. Pourtant, il n'y faisait même pas allusion. J'avais alors refusé de comprendre que quelque chose clochait. Que faire donc à présent, maintenant que tout est clair ? Que va devenir ma vie ? Ma vie amoureuse sera-t-elle toujours couronnée d'échecs ? Qu'ai-je vraiment fait à Dieu pour ne pas mériter un peu de bonheur ?

Stone était assis là, en face de moi, totalement impuissant, aussi mal à l'aise que moi. Oui, nous vivions sans doute quelque chose de très fort, comme lui-même aimait à le décrire, mais tout ce qui est bâti sur du sable mouvant est véritablement voué à la ruine. Et notre relation n'aurait pu être une exception. Pour moi, il n'y avait pas d'autres alternatives que d'y mettre un terme. C'est alors que je lui posai la question : OK, merci de me l'avoir dit. Maintenant, que comptes-tu donc faire ? Il répondit : Avant d'en arriver là, de quoi voulais-tu aussi me parler ? Après hésitation, je me dis, puisqu'on en était là, pourquoi ne pas se dire toutes les vérités ? Alors, je pris la décision d'avouer : Eh bien, il s'avère que j'ai un enfant et c'est lui que je partais voir à Bandjoun, le week-end où tu m'y as conduite. Tout de suite, je vis son visage se transformer, il fulminait même, et cherchait des mots pour exprimer ses émotions : Quoi, un enfant ? C'est fort ça. C'est déjà assez difficile pour moi d'imaginer que tu aies pu avoir une relation avec qui que ce soit avant moi, mais de là à en être tombée enceinte ? Je suis la seule personne qui devrait avoir un enfant avec toi. Nous sommes faits l'un pour l'autre, ce qui nous lie est très fort, je me demande pourquoi tu as pu avoir un enfant avec un autre avant de me rencontrer. Il avait même les yeux larmoyants, tellement il supportait mal le fait que quelqu'un d'autre ait eu un lien plus fort avec moi, d'après lui, au point que cela

120

aboutisse à la naissance d'un enfant. Je n'en revenais pas. J'étais à la fois confuse et effrayée par son côté possessif, que j'ignorais jusque-là. On aurait cru que c'était plus grave pour moi d'avoir eu un enfant avant de le rencontrer. Pourtant, lui, quelques mois avant de me rencontrer, il était bien marié à une autre. Lequel des deux était plus grave ? J'étais loin d'imaginer que malgré ce qu'il venait de m'annoncer, mon aveu le rendrait si furieux. Quelques minutes plus tard, il prit son calme et me dit : Je t'aime et ne t'y méprends surtout pas. J'aimerai ton enfant autant que je t'aime. Je ne veux pas te perdre. Pour moi, c'était terminé. Je ne comptais pas être la maîtresse de l'homme que j'aime. La tristesse m'avait envahie. J'étais en colère envers moi-même. J'avais refusé de poser les bonnes questions, au bon moment. Stone était toujours là, tout triste, me suppliant de ne pas mettre un terme à notre relation. Mais à quoi allait nous servir un amour impossible ? Après moult négociations pour me convaincre, Stone appela Linda à son secours. Il me supplia de le comprendre. Rien n'y fit, ma décision était prise. Mon amie essaya de le convaincre de s'en aller et de me laisser le temps de réfléchir à tout cela. J'étais une épave. Je pleurais comme une madeleine. J'avais trop mal. Mon cœur brûlait dans ma poitrine. Linda ferma le restaurant et je rentrai dormir chez elle.

J'avais pris des congés au travail, supprimé le numéro de Stone et éteint mon téléphone. Je ne voulais pas lui parler. Je craignais trop qu'il me persuade de le revoir. J'allais dormir chez mon amie tous les soirs. Plusieurs jours étaient passés et je menais toujours une bataille intérieure pour l'oublier. À mon retour au travail, mes collègues avaient constaté que je maigrissais. J'étais sans cesse triste et de mauvaise humeur. C'était une vraie traversée de désert. Mais, je comptais rester forte, jusqu'à ce jour fatidique. Je venais à peine d'allumer mon téléphone cette nuit-là, et, à ma grande surprise, il sonnait déjà. Il était environ deux heures du matin et je voulais écouter mes messages. Si quelqu'un appelle à une heure pareille, ça doit être très important. Était-il arrivé un malheur à mon enfant, à ma mère? Dès que je décroche, j'entends : Salut Trésor, ne raccroche pas s'il te plaît. Écoute-moi, je veux juste te parler un peu, juste entendre ta voix. Ça fait des jours que j'essaye de te joindre. Malgré le temps qui était passé, malgré l'aveu qu'il m'avait fait et malgré la douleur que cela me causait toujours, je ne pouvais pas nier l'effet de sa voix sur moi. Oui, j'étais toujours amoureuse, et, plus je l'écoutais, plus mes grandes théories sur le respect de son statut d'homme marié perdaient de leur puissance. Après plusieurs jours, comment avait-il su que je devais allumer mon téléphone à cette heure si avancée de la nuit? Serait-ce un signe du ciel que j'étais destinée à être avec cet homme malgré qu'il fût marié à une autre? À partir de cet instant, j'avais déclaré forfait. Je ne cherchais plus à combattre mes sentiments. De toutes les façons, cela ne m'avait servi à rien pendant tous ces jours.

Peu à peu, je commençais à accepter cette troublante situation. Je trouvais sans cesse des raisons pour justifier mon choix. J'avais accepté et adopté ma position de la maîtresse attitrée. Aussi incongru que cela pouvait paraître, je comptais même rester fidèle, toute ma vie, au mari d'autrui. Oui, l'amour peut en effet faire perdre la raison, même aux personnes les plus intelligentes.

Il faut bien être fou pour quitter le confort de son appartement chic dans un quartier huppé, garer sa belle voiture 4x4 devant un portail en tôle rouillée dans un quartier insalubre, et aller voir une fille dans une chambrette non climatisée, remplie d'humidité, s'asseoir là pendant de longues heures, et être rempli de bonheur, ne manifestant aucune hâte de la quitter. Totalement inexplicable. Pourtant, c'était désormais notre réalité jusqu'à ce fameux jour où, voyant qu'il tardait à rentrer, son épouse l'appela. Quand il prit le téléphone, j'étais si proche de lui que je pouvais entendre à l'autre bout du fil une voix douce. Elle ne criait pas, elle n'était pas en colère. Elle lui demandait très calmement s'il comptait rentrer bientôt. Elle voulait lui rappeler que ceux qui allaient installer les rideaux devaient passer ce soir-là. Il répondit qu'il allait avoir du retard, mais qu'ils pouvaient déjà voir ensemble, au téléphone, comment les disposer. Je suis restée là, pendant cinq interminables minutes, à les entendre discuter de l'aménagement de leur maison. C'est à ce moment précis que le voile tomba de mes yeux. La réalité m'avait finalement rattrapée. J'étais très embarrassée. Je ne savais pas s'il fallait continuer à supporter cette vie en silence, ou s'il fallait contacter sa femme et lui parler de la double vie de son mari, en espérant qu'elle le quitte, ou simplement s'il fallait mettre un terme à cette relation malsaine. Que je le veuille ou non, il fallait que je trouve le moyen d'oublier cet homme. Une aventure qui faisait de moi la complice de la double vie d'un homme qui appartenait à une autre femme comme moi n'avait rien de noble. Je méritais bien mieux que cela. Je devais arrêter de me complaire à vivre cette relation qui m'emprisonnait et me mettais en désaccord avec ma conscience.

Plus tard, Stone constata qu'un réel malaise s'était installé entre nous. Il m'avoua que ces derniers jours, il était confus. Tu sais, mon Trésor, je parle régulièrement avec mes amis restés à Abidjan, nombre d'entre ceux qui étaient mariés sont divorcés ou en instance de divorce. Et cela me trotte de plus en plus l'esprit parce que je sais une chose, quand je te vois, je ne veux plus te quitter. Mon réel problème réside dans le fait que Dieu m'a donné une femme très vertueuse et ça me tue de penser à poser un acte qui pourrait lui faire du mal, car elle ne le mérite pas vraiment. C'est tout ce qui me retient, sinon j'aurais été prêt à tout abandonner pour partager le reste de ma vie avec toi. C'est évident que beaucoup d'hommes tiennent ce langage, mais là, ça se voyait qu'il était sincère. Ayant déjà l'ambition de l'oublier, il ne servait à rien de l'encourager dans ce genre de réflexion. Ma réaction fut simplement de lui dire de rester avec son épouse et que Dieu avait certainement un meilleur plan pour ma destinée.

Après tout ce tumulte, je me rendais à la Cathédrale quotidiennement, après le boulot. Je m'asseyais devant la grotte et je pleurais toutes les larmes de mon corps. Je demandais au Seigneur de m'aider à oublier cet homme, de me pardonner, de me purifier et de ne pas permettre que je sois la source de malheur d'une autre femme. Je le suppliais de me restaurer dans ma dignité, de me permettre de bâtir une vie amoureuse stable et de mener une vie épanouie. Plus je partais prier, plus je m'éloignais de Stone et plus je trouvais des forces pour décliner ses invitations galantes, ses cadeaux, etc. J'étais parvenue à enterrer définitivement notre relation après une conversation téléphonique au cours de laquelle il m'annonçait, avec beaucoup d'excitation, qu'il venait d'être papa. Il voulait que je sois la première à le savoir. Je me demandais s'il s'entendait parler. J'étais très heureuse pour lui. Mais je me demandais aussi comment un homme marié pouvait être si lié à sa maîtresse au point de vouloir partager toutes ses joies avec elle, y compris sa joie d'être le papa de l'enfant d'une autre femme. Je me demandais alors à quoi il pouvait bien penser lorsqu'il prenait aussi rapidement son téléphone pour m'annoncer une telle nouvelle. Aurait-il oublié que j'étais amoureuse de lui et que nous avions pour projet de faire notre enfant à nous deux ? Je l'ai félicité et suis sortie définitivement de sa vie. Cette relation m'apporta à la fois la maturité et la détermination. J'étais encore plus motivée à aller de l'avant. Avec l'argent que Stone me donnait régulièrement, je m'inscrivis en cours du soir à l'Institut Supérieur de Management (ISMA), pour préparer un BTS en Action Commerciale, tout en travaillant dans la journée.

Grâce à mon emploi chez Momentum, j'avais pu m'offrir

un appartement à louer dans un immeuble flambant neuf, au quartier New-Bell, non loin de chez ma tante. Malheureusement, l'entreprise commençait à traverser une zone de turbulence et il fallait réduire l'effectif. Je me retrouvais à nouveau sans emploi, avec, en plus des autres charges fixes, mes études à financer. Je continuais donc avec la vente des articles de friperie, tout en déposant mon curriculum vitae dans toutes les agences de recrutement et dans des entreprises.

Un jour, je reçus le coup de fil du frère aîné de mon ancien supérieur hiérarchique chez Momentum. Il organisait le mariage de son ami, Monsieur Serge Etame, le directeur de la multinationale Nestlé, pour trois pays de l'Afrique de l'Ouest. J'avais alors rassemblé avec beaucoup de plaisir les quelques hôtesses nécessaires pour l'accueil, lors de ce mariage. Je gardais ainsi le contact avec Monsieur Etame qui projetait d'installer une agence au Cameroun, dans un avenir très proche. Il espérait que je ferais partie de son équipe.

Dans l'intervalle, je continuais à chercher des opportunités pour un emploi stable. J'en parlais autour de moi, à tous ceux que je fréquentais. Un ami, René, ne tarda pas à m'annoncer le recrutement du personnel navigant commercial pour une nouvelle compagnie aérienne camerounaise qui allait desservir les capitales des dix régions. L'un des critères principaux, c'était de savoir nager afin d'être capable de secourir les passagers, en cas de besoin. Et moi, je ne savais pas nager ; d'ailleurs, depuis mon enfance, j'avais toujours craint de mettre les pieds même seulement dans une rivière profonde. Toutefois, je trouvais les hôtesses de l'air très raffinées. Elles avaient une telle prestance qui me donnait tout simplement envie d'en devenir une, surtout en ce moment où j'avais besoin d'un emploi bien rémunéré. En plus, je voulais vraiment faire revenir mon fils à Douala, afin de lui donner l'éducation que je souhaitais.

René et deux de ses amis voulaient également postuler pour cette offre d'emploi. Nous avions alors décidé de nous entraîner au Club ONCPB qui avait une piscine accessible au public. Contrairement à moi, les autres avaient quelques notions de natation. Il me fallait donc un formateur et, sur place dans le club, il y en avait un qui formait déjà quelques personnes. Après avoir payé les frais de formation, j'étais déterminée à vaincre ma peur de l'eau et apprendre à nager. J'allais ainsi me lancer dans cette profession si fascinante. Je savais que ça n'allait pas être facile, mais l'avenir de mon fils était ma meilleure source de motivation. La première séance fut spectaculaire. Il fallait que j'apprenne à être immergée sans paniquer. Mais, à peine ma tête était à moitié trempée que je me relevais déjà, en lançant des cris stridents qui faisaient sursauter tous ceux qui étaient au Club. Ce fut un long processus pour que j'arrive enfin à me sentir à l'aise dans l'eau. Avant et après mes séances de formation, je prenais le temps de répéter ce que j'avais appris. Je ne comptais pas lâcher prise. J'étais vraiment motivée jusqu'à ce fameux jour où mon formateur me rapprocha de lui, donnant l'impression qu'il voulait me montrer certains mouvements, mais sortit plutôt sa verge en érection, cherchant à abuser de moi. Il savait pourtant que nous n'étions pas seuls dans la piscine ni dans le Club. Tout de suite, je lui demandai de me lâcher, s'il ne voulait pas que je crie. Il me répondit que ça ne surprendrait personne puisque, de toutes les façons, tout le monde savait que je craignais l'eau et en plus, il ne serait pas le premier à avoir des rapports sexuels dans cette piscine. Dégoutée, je parvins à me défaire de son emprise et je quittai cette piscine pour toujours. Le jour du concours, je fis de mon mieux, mais ne pus convaincre le jury. Et mon rêve de devenir hôtesse de l'air était complètement anéanti.

En attendant de trouver un emploi stable, j'avais pris attache avec des agences qui me contactaient quelquefois pour prendre des photos et des spots publicitaires. J'avais une compensation de 300 000 FCFA pour un shooting de quatre heures. J'en étais même arrivée à participer à des défilés de mode et à être sélectionnée parmi les mannequins d'un coiffeur professionnel de renom : Emmanuel Chiangong, qui était régulièrement invité sur des plateaux de télévision pour présenter des modèles de coiffure. J'avais également eu l'opportunité de participer au concours Miss Internet Cameroun et de me retrouver parmi les finalistes de la première édition. Monsieur Chiangong me contactait également pour des tournages de vidéogramme et plus tard pour un film, un court métrage : La Promesse, l'histoire d'une jeune femme ambitieuse qui vivait dans la misère, mais qui parvint à bâtir un empire et rencontrer un homme extraordinaire, un Européen vivant au Cameroun, avec qui elle mena une vie heureuse.

À force de rappeler à tout mon entourage que j'étais toujours à la recherche d'emploi, Alex, un de mes proches, se souvint qu'un de ses amis venait d'être recruté dans un cabinet comptable et que son employeur recherchait une assistante de direction. Il me promit de faire suivre mon curriculum vitae. N'ayant jamais occupé un poste similaire, j'avais alors pensé à mettre aussi en avant, sur ma lettre de motivation, mes connaissances en informatique et en communication. Mon caractère sociable qui me facilite les relations même avec des inconnus, ma formation et mon expérience en Action commerciale et Marketing pouvaient aussi être avantageux pour cette jeune entreprise. Sans tarder, le Directeur Fondateur du Cabinet International Consulting me passa un coup de fil pour l'interview et tout se passa très bien et très vite. Je décrochai alors mon deuxième emploi.

International Consulting était situé à Akwa, au centre-ville de Douala, la capitale économique du Cameroun. Le directeur était précédemment cadre chez Price Water House, l'un des trois géants de l'audit et la comptabilité dans le monde. Il avait choisi de se mettre à son propre compte après avoir travaillé pendant plusieurs années dans cette multinationale. Je trouvais son courage et sa détermination absolument impressionnants. C'était un réel honneur et un plaisir d'être son assistante et d'apprendre de lui. Ma rémunération était également satisfaisante, sans compter mes frais de missions régulières avec les équipes d'audit.

Pour éviter de me retrouver à nouveau dans la précarité au cas où il adviendrait que je perde mon emploi, je décidai d'investir mes économies dans des activités parallèles. Je continuais donc la vente des articles de mode et beauté. Au fur et à mesure, j'achetais des motos et des taxis que je mettais à la disposition des conducteurs en condition-vente. Ce qui me permettait de bâtir peu à peu une fortune et prendre bien soin de ma famille, y compris mon père à qui j'avais enfin pardonné le traitement qu'il m'avait infligé dans l'enfance.

Pendant mes pauses de midi, je me rendais à un restaurant non loin du bureau, pour déguster de bons plats camerounais : ndolé, poisson braisé, taro, mets de pistache et bien d'autres. Un jour, un jeune homme que j'y avais déjà rencontré plusieurs fois, s'approcha de moi et se proposa de m'offrir mon plat. Je n'y voyais aucun inconvénient. Alexandre avait l'air bien sympathique. Il était grand, noir, élégant et éloquent. Il travaillait chez Exxon Mobil, non loin de mon bureau. Du coup, c'était facile pour lui de me prendre à l'heure de la pause pour le restaurant. C'était une relation amicale et agréable qui se transforma, au bout de quelque temps, en une relation romantique. Il était très attentionné et se souciait de mon bien-être. Un jour, je souffrais d'un violent mal de dents. Alexandre prit alors une permission à son travail pour m'emmener chez le dentiste. Il fallait absolument faire une extraction de ma dent. Mais cela ne pouvait être possible qu'à la fin de la journée. Mon ami passa toute cette journée à mes côtés, jusqu'à la fin de l'opération. Il prit tout en charge, y compris les frais de pharmacie. Et, comme c'était un vendredi, il me proposa de passer le week-end chez lui, afin qu'il puisse prendre soin de moi. Le dimanche soir, il prit la route pour me ramener chez moi. En chemin, il décida de faire quelques achats pour moi dans une boulangerie. Pendant que j'attendais dans la voiture, un message s'afficha sur son téléphone. Quelques lignes dudit message, visibles en haut de l'écran, attirèrent mon attention. Je cliquai pour le lire en entier et je fus choquée. C'était un message très explicite, détaillant des ébats sexuels lors de son récent séjour en Europe. En remontant le fil de la conversation, je pouvais voir des échanges amoureux qui dataient de quelques jours seulement. Et pourtant, nous étions déjà en relation depuis un long moment. De retour dans la voiture, je décidai de le confronter immédiatement. Il nia d'abord tout, s'excusa ensuite, en soutenant que c'est une histoire à laquelle il comptait mettre un terme. Il attendait juste de finaliser ses papiers en Europe. Tout cela me paraissait bizarre. Le week-end d'après, il voulait que nous visitions son chantier. De retour chez lui, j'avais une surprise, des chemises «afritude» que j'avais achetées lors d'une foire. Pendant qu'il était assis au salon, je pris soin d'aller dans sa chambre les déposer sur le lit. Et, pendant que j'y étais, j'entendis la clé dans la serrure de la porte centrale. Visiblement, cette personne devait être une habituée de la maison. Le temps pour moi de retourner au salon, je vis une jeune dame qui se dirigeait vers lui et lui fit un baiser sur la bouche, avant de se diriger vers la cuisine. Voyant que j'avais assisté à cette scène, il balbutia quelques mots qui, clairement, l'incriminaient davantage. J'avais compris que c'était probablement l'auteure des messages que j'avais vus dans son téléphone. Refusant une telle humiliation, je retournai dans la chambre mettre en miettes les chemises que j'avais apportées et je quittai ainsi cette maison et cette relation définitivement.

Après cette énième relation désastreuse, il était clair

dans mon esprit que ma quête d'un bon mari au Cameroun n'avait eu aucun résultat probant. C'était une avalanche de déceptions, mais je ne comptais pas abandonner. Mon besoin pressant d'avoir une relation stable et épanouissante qui pourrait combler mon passé traumatisant allait grandissant. J'avais l'impression de ne pas être complète. Je pensais que sans un homme dans ma vie, je ne pouvais pas être heureuse. C'est ainsi que je pris la peine de changer totalement de stratégie et de me consacrer à ma carrière tout en échangeant régulièrement en ligne avec des Camerounais de la diaspora. Je fis donc la connaissance de Pierre, un jeune Camerounais du même âge et de la même tribu que moi. Il m'avait l'air assez sympathique et plutôt réservé. Il sortait d'une déception amoureuse, tout comme moi. Nous échangions régulièrement pour prendre des nouvelles. Nous étions devenus des amis. Pierre m'annonça un jour qu'il souhaitait trouver une épouse au Cameroun. Et, comme nous étions tous les deux libres, au lieu de prendre le risque de tomber sur des personnes qu'il ne connaissait pas, il souhaitait que nous puissions bâtir notre vie ensemble. Très vite, nous avions pris l'engagement de nous marier, à l'âge de 25 ans. Nous pensions être déjà prêts. Il n'avait, lui aussi, qu'un baccalauréat et avait abandonné ses études d'infirmier. Il travaillait néanmoins comme aide-soignant. Je l'encourageais à retourner à l'université. Cela lui donnerait plus d'opportunités. En plus, j'avais une réelle préférence pour des hommes d'un niveau d'étude plus élevé. Toutefois, je me disais qu'au lieu d'être avec un homme remplissant mes nombreux critères, mais qui me manquerait de respect ou qui serait vagabond, il serait peut-être préférable de bâtir quelque chose de solide avec cette personne qui m'avait l'air d'avoir bon caractère.

Pierre commença donc à prendre des dispositions pour venir au Cameroun, afin que nous puissions nous marier. Il en parla à ses parents qui y opposèrent une résistance farouche. Ils me reprochèrent de ne pas être du même village qu'eux, bien que nous soyons de la même tribu. En plus, pour eux, je paraissais plus âgée et plus mature. Et pire encore, j'avais eu un enfant avant le mariage. Malgré tout cela, Pierre et moi étions décidés de continuer avec les préparatifs pour le mariage. Je fis la publication des bans dans une mairie de la ville de Douala et pris attache avec ma styliste, Mme Esterella, propriétaire d'une Maison de Haute Couture, pour nous confectionner de magnifiques tenues, en espérant que nous pourrions convaincre nos familles à accepter le mariage.

Pierre devait prendre des jours de congés à son travail afin de voyager pour Douala. J'avais pourtant l'impression qu'il hésitait, à cause de ses parents. Il essayait toujours de les convaincre. Il m'appela un jour, afin que les membres de sa famille puissent au moins me parler, avant de me juger. À l'autre bout du fil, j'entendais sa mère crier : You will marry that girl over my dead body ; un peu comme pour dire qu'il faudrait d'abord qu'elle soit morte avant que son fils m'épouse. Mes parents, quant à eux, avaient décidé de ne pas assister au mariage tant que la famille de Pierre ne s'était pas présentée à eux pour demander officiellement ma main et verser la dot. Ce processus fut tellement stressant que je perdis près de dix kilogrammes en quelques mois seulement. Je ne pouvais plus entrer dans ma robe de mariée. D'ailleurs, je n'avais plus aucune envie de la porter.

Pierre s'entêta néanmoins et fit le déplacement pour Douala. Le mariage eut lieu en présence de cinq personnes : Monsieur le Maire, nos deux témoins et nous-mêmes. À la sortie de la mairie, nous avions remarqué un monsieur qui nous observait. Il s'approcha, nous félicita et nous dit qu'il nous trouvait vraiment très braves de nous marier si jeunes. En parallèle, il remarqua que nous n'étions que quatre et fut curieux de savoir où était la famille. Il avait vraiment l'air très sympathique, ce qui nous poussa à partager notre histoire avec lui. Il en fut si ému, mais aussi déçu de voir que nos familles n'avaient pas voulu nous soutenir. Avant de s'en aller, il nous remit sa carte de visite et nous dit: Je suis papa Michel, considérez-moi désormais comme faisant partie de votre famille. Je parlerai de vous à mon épouse et nous attendrons votre coup de fil pour un dîner.

Après quelques photos, nous nous rendîmes tous les quatre dans un tout petit restaurant à Akwa pour célébrer cet engagement que nous avions pris de nous marier si jeunes. Quelques jours plus tard, Pierre se déplaça pour son village afin de rendre visite à sa famille. N'étant évidemment pas la bienvenue dans ma belle-famille, je l'avais laissé partir seul. Pendant plusieurs jours, j'étais sans nouvelles de mon mari. Je n'avais aucune idée de ce qui se passait dans son village. De son retour du village, de nombreux oncles et tantes l'accompagnaient. Et c'était le jour même de son retour aux États-Unis. J'étais confuse, ne comprenant rien de son silence. J'avais passé la commande d'une chaîne en or avec nos initiales, comme cadeau de mariage. Pendant que je lui remettais son cadeau à l'aéroport, un membre de sa famille s'approcha pour demander qu'il l'ouvre en sa présence. Il prit la chaîne et voulut la mettre à son cou, mais sa tante lui intima l'ordre de ne pas le faire, car j'aurais sûrement fait des pratiques mystiques sur ce bijou pour l'envoûter, afin de le contrôler. Après le mariage et son retour aux USA, Pierre m'appelait de manière sporadique. Le froid s'était installé entre nous. Il me demanda néanmoins des documents nécessaires pour l'établissement de mon dossier pour les États-Unis. À son avis, s'il réussissait à me faire voyager, on pourrait vivre loin de sa famille et fonder calmement la nôtre. Entre temps, un processus qui normalement prendrait quelques mois durait déjà une éternité. Un an après qu'il a soumis mon dossier à l'immigration, il n'avait toujours rien reçu. Il décida d'appeler leur bureau afin de comprendre pourquoi le processus traînait tant. Il apprit alors qu'ils avaient plusieurs fois envoyé des courriers à son domicile familial, l'adresse qu'il avait indiquée. Il comprit enfin que ses parents interceptaient son courrier et s'en débarrassaient. Il alla leur parler, dans l'espoir qu'ils le lui remettraient désormais. Cette situation m'avait rendue très furieuse. J'avais pensé que Pierre avait déjà pris toutes les dispositions pour quitter la maison familiale et en trouver une autre dans laquelle j'allais le rejoindre dès mon arrivée aux USA. C'était la principale raison pour laquelle j'avais refusé qu'il me fasse un transfert d'argent mensuel de 500 $, comme il me l'avait proposé. J'estimais que je me débrouillais assez bien au Cameroun et que mon mari devrait plutôt épargner cet argent pour nous trouver un logement convenable qui nous appartiendrait. Il s'amusait d'ailleurs à m'envoyer régulièrement des sites web de vente de maisons. Je les passais en revue avec plaisir et partageais avec lui mes préférences.

La famille de Pierre m'accusait de m'intéresser à leur fils certainement parce que je voulais me servir de lui, pour me rendre dans le pays de l'oncle Sam. D'ailleurs, quelque temps après le mariage, sa mère était venue au Cameroun pour un court séjour. Elle était d'accord pour que je l'aide à remplir les formalités douanières pour son container, mais refusa catégoriquement de me rencontrer. Plus tard, lorsque son père était, lui aussi, arrivé au Cameroun, Pierre me donna son contact afin que je puisse le rencontrer. Lui au moins prit la peine de prendre mon appel et me donna son adresse. Je fis alors le déplacement jusqu'à lui, mais il me réserva un accueil tellement froid qu'on aurait pensé que son objectif était en fait de m'humilier et non de faire ma connaissance. Il me nargua d'ailleurs en me disant qu'à son vieil âge, il aurait pu, lui aussi, venir au Cameroun comme son fils et séduire les filles de tous les âges, juste parce qu'il vit en Amérique. Je me sentis tellement offensée, humiliée. Hors de moi, je lui rétorquai : Je vis très bien ici, j'ai un bon emploi, un appartement, une voiture que je viens de garer juste là et rien de tout cela n'a été acquis avec l'argent de votre fils, avant de me lever pour m'en aller.

Cette tension avec la famille de Pierre commençait sérieusement à affecter notre relation. Cependant, mon époux avait réussi à me convaincre qu'il était différent des autres membres de sa famille. Il tenait à notre relation et se battrait afin que je puisse le rejoindre au plus vite. Entre-temps, Papa Michel et son épouse m'avaient proposé de vivre avec eux dans leur villa à Bonamoussadi, un autre joli quartier de la ville de Douala. J'allais ainsi profiter de toute leur affection, leurs grands enfants vivants tous à l'étranger.

Je venais alors de réussir avec brio mon Brevet de Technicien Supérieur (BTS) lorsque Monsieur Etame revint au Cameroun installer son agence de marketing opérationnel. Le bureau de Proximity S.A. était à cinq minutes de mon École ISMA, la même école dans laquelle je m'étais inscrite en cours du soir, pour la Licence Professionnelle en Communication.

Ma relation avec Pierre était devenue invivable. Deux années étaient déjà passées depuis le mariage et l'incertitude perdurait. Sa famille ne m'avait toujours pas acceptée. Ils avaient d'ailleurs hébergé dans leur domicile familial aux USA, une ressortissante de leur village, partie fraîchement du Cameroun. C'était leur choix pour leur fils. Et, le plus choquant fut de l'apprendre par un ami de mon mari qui, ayant supposé que j'étais au courant et pensant alors le défendre, me dit : Tu sais, mon ami t'aime vraiment, malgré le fait que ses parents soient en train de lui imposer une autre fille qui vit même déjà chez eux. Il a néanmoins une préférence pour toi. Pierre et moi n'avions pourtant plus de conversation «normale» depuis plusieurs mois. Je ne savais donc rien de tout ce qui se tramait. J'avais alors décidé de mettre un terme à notre relation et le laisser trouver la femme qui lui conviendrait et qui serait acceptée par les siens. D'ailleurs, pour moi, le plus important c'était premièrement un mariage coutumier pour recevoir la bénédiction des parents et membres de la famille, deuxièmement le mariage religieux pour recevoir la bénédiction de Dieu et en dernière position venait la bénédiction des hommes, à travers un acte de mariage. Ça ne valait donc pas la peine d'implorer la bénédiction de sa famille. De toutes les façons, cette relation, en dehors d'un papier que j'avais signé, n'avait en réalité jamais existé.

Plus tard, un camarade de classe me présenta Brahim. C'était un homme grand de taille, noir, beau, mais surtout très cultivé, très intelligent et très ambitieux. Il était musulman, mais ne m'imposait pas sa religion, quoique s'il l'avait fallu, j'étais disposée à me convertir à l'Islam. Le courant passait bien entre nous et cela me faisait un bien fou d'être enfin dans une relation harmonieuse dans laquelle je me sentais valorisée, aimée et acceptée. C'était rafraîchissant. Nous ne nous quittions plus. Pendant mes pauses, il venait me chercher pour le déjeuner. De temps en temps, j'allais dîner chez lui, en compagnie de son frère et son épouse qui séjournaient chez lui. Après quelques mois seulement de relation, il avait déjà prévu un déplacement, pour rencontrer sa mère.

Un jour, ma meilleure amie Brenda m'appela en catastrophe en pleurant. «Va au kiosque, vas-y maintenant, vas chercher le magazine Ici Les Gens du Cameroun» criait-elle. Que se passe-t-il? Elle ne cessait de pleurer. Je courus au kiosque chercher ce magazine qui donnait régulièrement des nouvelles sur la vie des «people», des célébrités camerounaises ainsi que ceux de la haute société. À ma grande surprise, en feuilletant les pages, je vis le «fiancé» de Brenda, avec une autre femme; ils venaient de se marier. Je n'en revenais pas. Je n'avais eu vent d'aucun problème dans leur couple. D'ailleurs, lors de l'une de mes missions à Yaoundé, je les trouvais encore plus amoureux qu'avant. Mon amie vivait à Yaoundé et fréquentait l'Université Catholique. Elle venait à Douala pour des stages et pour voir sa famille. C'est d'ailleurs à l'agence Momentum que j'avais fait sa connaissance, lorsque nous étions ambassadrices de la marque Orange, à l'aéroport de Douala. Elle passait beaucoup de temps dans mon appartement à New -bell, lors de ses séjours dans la capitale économique. Nous étions restées très proches et elle était plus qu'une amie pour moi. Je pouvais ressentir les mêmes douleurs qu'elle, quand elle était peinée. Je me souviens l'avoir recommandée à l'entreprise Canal Sat pour une offre pour laquelle j'avais été contactée, lorsque j'étais déjà à Proximity. À notre dernière conversation, elle était tellement heureuse d'avoir été retenue après son interview. Malheureusement, son bonheur ne fut que d'une très courte durée. Le lendemain à son réveil, son homme était marié à une autre et il était à la une des journaux. Probablement de commun accord entre les deux riches familles qui se fréquentaient régulièrement. Un mariage princier! Brenda était dévastée. Elle était sous le choc. Pourtant, pour sa cérémonie de remise de diplômes quelques mois plus tôt, son riche « fiancé » nous avait traitées comme des reines. Il nous avait même prêté sa voiture anglaise décapotable et sa carte bancaire pendant tout mon séjour. Je n'en revenais pas qu'il ait pu la larguer ainsi. Je passais des nuits blanches, m'inquiétant pour ma « sœur ». Je ne savais comment lui redonner goût à la vie.

Brenda se plaignait sans cesse de son physique. Elle voulait devenir aussi svelte que moi. Je la trouvais pourtant jolie, avec ses rondeurs et sa poitrine pulpeuse. Un week-end, Brahim avait donné une fête pour les enfants de son quartier, spécialement en l'honneur d'une fillette qui venait d'avoir un an de plus. Il était d'accord pour que j'invite Brenda à se joindre à nous. Nous allions en profiter pour être ensemble, et bavarder, afin qu'elle puisse oublier un peu son chagrin d'amour. Après la cérémonie, Brahim nous amena danser. Je voulais que mon amie puisse se changer les idées. Pourtant, elle avait eu du mal à se distraire. Elle resta assise toute la soirée, pendant que je me trémoussais toute seule sur la piste de danse. Brahim n'étant pas du genre à s'éclater en boîte de nuit, ils étaient donc restés là, pendant des heures, à échanger. À la fin de la soirée, j'avais la nette sensation que mon amie était plus détendue et cela me rassura.

Quelques jours plus tard, quand le bouquet Canal Sat est en panne chez mon homme, naturellement, je lui demande de contacter Brenda, pour la réparation. C'est ainsi qu'elle se rend un soir chez Brahim, avec son collègue. Cette nuit-là, quand Brenda et son collègue finissent de gérer la panne du câble, ils sont invités à partager le repas du soir, avec Brahim et sa famille. Le collègue de Brenda décline poliment l'invitation. Après le dîner, mon amie Brenda informa Brahim qu'elle craignait de rentrer dans son quartier à cette heure avancée de la nuit, sous prétexte que ce serait dangereux pour elle. Elle s'allongea alors sur le sofa. Mais curieusement, le matin, ses chaussures se trouvaient devant la porte de la chambre de mon homme. C'en était vraiment fini pour moi. Ma «sœur», ma protégée, avait ainsi pris le temps de raconter chaque détail de ma vie à Brahim. Évidemment, elle n'avait pas manqué d'y apporter sa coloration personnelle et moi, je ne me doutais de rien.

Vivre chez Papa Michel était vraiment agréable. Nous sortions tous les matins dans sa voiture. Il déposait mon fils dans son école maternelle à Bonapriso. Il me laissait ensuite à mon boulot avant de se rendre à son bureau. Tout se passait plutôt bien jusqu'au jour où, Yves, l'un de leurs proches vivant aux États-Unis vint passer un court séjour chez eux. Le soir de son arrivée, il dîna à table avec toute la maisonnée. Yves était un homme sympathique d'une quarantaine d'années, grand, robuste, très sûr de lui. Cela se ressentait dans ses prises de position. Il semblait être venu pour ses affaires à Douala. Après le dîner, la conversation avait continué brièvement avant que Papa Michel, son épouse et mon fils n'aillent se coucher. Yves quant à lui s'installa au salon, devant la télévision. Il avait sélectionné une chaîne qui présentait le culte de Joyce Meyer, une célèbre télévangéliste américaine qu'il semblait suivre avec beaucoup d'attention et d'intérêt, à en croire les «Amen» qu'il répétait sans cesse, pendant que je débarrassais la table. Il me fit signe de venir voir ce qui se passait à la télévision. C'est ainsi qu'il prit du temps à me parler de Joyce Meyer et de l'influence de son Ministère, dans le milieu chrétien. Tout ceci créa une certaine confiance entre Yves et moi. J'étais très intéressée par tout ce qui pouvait améliorer ma vie spirituelle. Après cet échange, je m'étais rendue à la cuisine pour nettoyer rapidement la vaisselle, avant de rejoindre mon lit. Au moment où je m'apprêtais à prendre les escaliers pour monter dans ma chambre, j'entendis Yves m'appeler à nouveau. Mais, cette fois-là, j'entendis des pas se rapprocher. Il me dit : Viens par-là, je vais te donner quelques ouvrages chrétiens que j'ai apportés. Sans hésiter, je le suivis dans la chambre des visiteurs qu'il occupait. Il se mit à genoux dans un coin où il y avait son sac de voyage. Il tournait et retournait ses affaires dans le sac et cela prenait du temps. Il me dit : Ne reste pas debout, assieds-toi un moment pendant que je cherche. Il sortit enfin quelques livres du sac et se dirigea vers moi. Il les posa sur le lit et me demanda de choisir ce qui m'intéressait. Le temps pour moi d'y jeter un coup d'œil, il avait fermé la porte de la chambre et s'était placé devant moi, comme un lion prêt à dévorer sa proie. Il me lança : Tu sais, je te trouve vraiment jolie, ça te dirait de faire l'amour avec moi ? Je lui opposai un refus catégorique en précisant que je trouvais cette demande grotesque. Je n'en revenais pas ! Quel culot ! Je ne reconnaissais plus la personne qui, il y avait quelques minutes seulement, avait l'air si pieuse et sympathique. Avant que je n'aie eu le temps de faire un quelconque mouvement, il m'avait déjà clouée sur le lit et bâillonnée de sa main robuste, en me lançant des propos menaçants : Tu sais, si tu tentes de crier, je dirai à papa Michel et à son épouse que tu es venue me séduire dans ma chambre. Par ailleurs, si tu oses en parler, je connais des personnes très influentes dans ce pays qui vont vraiment te pourrir la vie. Je n'arrivais pas à le croire : un énième viol ! Et, je ne pus rien y faire.

Après son forfait, il insista avec ses menaces : Rappelle-toi, tu n'en parles à personne, sinon tu vas le regretter. Cette nuit-là, je retournai dans ma chambre avec une douleur fulgurante. Je passai un long moment sous la douche, espérant apaiser ma peine, je pleurais toutes les larmes de mon corps. Je maudissais la vie, ce monde nauséabond où les femmes étaient traitées comme des objets sexuels. Je souffrais dans ma chair, je souffrais dans mon âme, je souffrais dans mon esprit. Je m'en voulais de n'avoir pressenti ce énième abus. J'avais mal à la poitrine, j'avais mal à l'estomac, j'avais mal partout. J'avais envie de mourir, mais un petit bonhomme sans défense dormait juste à côté. J'étais son père et sa mère. Son futur dépendait entièrement de moi. J'avais déjà souffert et survécu à tellement de déboires. Il fallait peut-être que je m'habitue à la douleur ?

J'étais tant ébahie, devant autant de cruauté. Après une longue nuit blanche, je parvins à rassembler toutes mes forces et à apprêter mon fils pour l'école. J'allais si mal, physiquement et mentalement. Papa Michel remarqua que je n'avais pas ma bonne humeur habituelle. Je lui répondis que je ne me sentais pas bien. À peine arrivée au bureau, je me tordais de douleurs. J'avais terriblement mal au bas du ventre, aussi à l'estomac. J'étais si stressée. Je me demandais ce que j'allais devenir, à qui je pouvais parler. Je me sentais mourir. Je pris un taxi pour l'hôpital. J'étais faible et déprimée. Le personnel médical m'installa sur un lit et me plaça une perfusion pour faire passer mes douleurs et pour plus de tonus. J'envoyai rapidement un message à Brahim et à Brenda pour les informer de mon hospitalisation à l'hôpital Laquintinie, pour ulcères d'estomac.

Brahim me rendit visite à l'hôpital et m'apporta des fleurs, une ceinture Dolce & Gabbana et un parfum Miss chérie Dior et bien d'autres cadeaux qu'il avait ramenés de son récent voyage à l'étranger. Quand à son tour, Brenda vint me voir après son boulot, au lieu de s'enquérir de mon état de santé, elle me demanda plutôt si j'avais des nouvelles de mon copain. Tout naïvement, je lui montrai mes cadeaux sur le chevet du lit, que Brahim avait apportés en journée. Brenda fit une mine bizarre, et moi, je ne comprenais toujours rien. J'ignorais même qu'elle avait, le même soir, menacé mon compagnon, en lui imposant de s'éloigner de moi.

Après ma sortie de l'hôpital, j'invite Brenda à déjeuner. Elle passe à mon bureau et, après le repas, puisque je dois me rendre chez un client, je demande au chauffeur de l'entreprise de prendre mon amie avec nous, son bureau étant sur notre chemin. En cours de route, mon téléphone sonne. C'est la belle-sœur de mon copain. Sa première question est : Tu es seule ? Ce que je vais te dire, si mon beau-frère l'apprend, il va nous couper les vivres. Tu sais que c'est lui qui nous soutient financièrement pour le moment. Je lui dis : Vas-y, qu'est-ce qui se passe ? Elle me demande : Celle-là, c'est vraiment ton amie ? Je lui réponds : C'est plus que mon amie, c'est ma sœur. Et je le pense sincèrement sur le moment. Nous partageons nos projets, nos rêves. Nous avions, à l'époque, dormi pendant plusieurs nuits, sur un matelas posé au sol, dans mon minuscule appartement à New-Bell. J'avais confiance en elle. La belle-sœur de Brahim continue en me disant : On t'aime beaucoup et on ne pouvait plus continuer à regarder tout ceci sans rien te dire. Sache que si elle voit ton poison, elle va te le donner.

Je suis surprise. Je regarde mon amie à ma droite, stupéfaite, pendant que la dame me conte ses aventures et ses nuits avec mon copain. Quand je raccroche, je confronte Brenda qui nie tout en bloc. Elle me dit: Il me drague, mais je lui ai dit que mon amitié avec toi vaut de l'or. Calmement, je demande au chauffeur de garer le véhicule et à Brenda de s'en aller. C'était la fin de notre amitié. Quelques semaines plus tard, je découvrais sur les réseaux sociaux leurs photos de voyage, des vacances à la mer, sur un yacht, dans des coins chics, par-ci, par-là. J'avais définitivement tourné cette autre page de ma vie.

Du jour au lendemain, le sort me rattrapait. Je me retrouvais à nouveau seule. J'avais perdu tout espoir. Une amie et un amour, peut-être une illusion, mais j'avais perdu les deux. La chose espérée avait disparu. Une union descellée, déconnectée, sans avis de coupure, pas de réseau. J'étais vide comme une fuite. À croire que l'amitié de cette copine était destinée à un usage précis, «LA TRAHISON». La trahison à double tranchant, quel supplice. La nouvelle était encore fraîche, la plaie bien ouverte et profonde, tel un trou noir. J'étais lasse de m'entendre jacasser au travail. Qu'est-ce qui m'arrivait? J'essayais de comprendre ce qui se passait. Moi, qui étais très concentrée au travail, je ne savais plus ce que je faisais.

Robert était un collègue très réservé, poli et courtois et, pour tout dire, un très bel homme, à l'allure athlétique, avec un teint noir, assez foncé. Il était assidu au travail et se distinguait des autres collègues. Le matin, au bureau, il se contentait d'un bonjour distant et ne s'encombrait pas de nos embrassades. D'habitude très concentrée au travail, j'étais devenue trop agitée. Je pouvais rester pendant de longs moments au téléphone et j'en revenais toujours plus triste, davantage brisée. Je voulais comprendre ce qui se passait. Robert observait le malaise que je traversais depuis un moment. Et, lors d'une pause-café, il s'approcha pour savoir ce qui n'allait pas chez moi. Je lui racontai ma mésaventure. La trahison que je venais de subir. Compatissant, il se rapprocha davantage de moi, ce qui nous permit de découvrir que nous vivons dans le même quartier. Désormais, à la sortie du boulot, on rentrait ensemble. Il était protecteur et je me sentais rassurée. Il n'avait pas tardé à devenir mon confident.

Robert, un célibataire sans enfants, très attentionné, leader dans sa communauté chrétienne, menait une vie honorable. Je vivais à cette époque avec ma mère, mon fils et mes deux sœurs. C'était plutôt agréable de l'avoir parmi nous. Robert était devenu un membre de ma famille ; il y avait tous les soirs, un plat réservé pour lui à table afin qu'il puisse dîner avec nous. Nos fréquentations devenaient de plus en plus importantes et plus intenses. En cette période-là, MTN, l'un des opérateurs de téléphonie mobile lança la promotion Y'ello Night, permettant ainsi des conversations nocturnes illimitées entre leurs utilisateurs. Je passais donc de longues heures en ligne avec mon amoureux alors que je partageais ma chambre avec l'une de mes sœurs. De fil à aiguille, notre amitié se transforma en relation amoureuse et pour éviter de troubler le sommeil de ma sœur, je passais des nuits chez Robert ou alors il restait allongé à mes côtés sur notre tapis du salon après le dîner. Cette relation était si forte que nous décidions de ne plus travailler ensemble, puisque nous étions collègues. L'un d'entre nous devait donc démissionner. Robert, comme graphiste, pouvait facilement se mettre à son propre compte, avoir des contrats avec des agences de communication, et des clients à l'étranger. Au bout du compte, il s'est lancé. C'était vraiment difficile au début, Robert étant de nature très timide. Pendant que je travaillais pour l'agence de communication, je m'arrangeais aussi à prospecter pour lui, rechercher les clients pour d'éventuels marchés, etc.

Ma carrière professionnelle avançait bien et j'espérais

obtenir de meilleures opportunités, mais en attendant je faisais de mon mieux pour exceller à mon poste, ce qui attirait d'ailleurs les recruteurs qui se bousculaient pour me faire des offres d'emploi, mais rien de bien intéressant jusque-là. En 2008, mon directeur me nomma chef du projet Miss Cameroun. J'avais pour mission de concevoir, planifier et organiser les présélections dans toutes les régions du pays, de me rendre sur plusieurs plateaux médiatiques afin de communiquer sur l'évènement, d'aller en prospection dans de nombreuses entreprises pour leur faire une présentation Powerpoint du projet afin d'obtenir du parrainage ou des cadeaux spéciaux pour les gagnantes du Concours Miss Cameroun. Cette année-là, nous réussîmes à décrocher pour la première fois dans l'histoire de ce concours, une voiture Renault Logan offerte à la Miss par le concessionnaire automobile Tractafric, une année d'assurance offerte par la Citoyenne Assurance et bien d'autres nombreux cadeaux.

Par la suite, mon directeur m'assigna un nouveau projet de marketing opérationnel pour la marque Guinness. Après plusieurs mois de travail, je fus invitée à un séminaire dans la ville balnéaire de Limbe, réunissant les équipes marketing de Guinness ainsi que les agences partenaires. L'un des facilitateurs fut particulièrement impressionné par ma brillante participation et contribution pendant les différentes présentations et activités. Il s'approcha de moi à la fin du séminaire et me demanda quel poste j'occupais chez Guinness. Il était fort surpris de voir que j'étais plutôt employée chez un partenaire. Il me passa sa carte et me demanda de lui envoyer mon CV par courriel. Comment avait-il su que j'étais à la recherche de nouvelles opportunités ? Il n'y avait vraiment plus de possibilités d'avancement dans mon agence actuelle et j'étais trop ambitieuse pour me contenter de rester sur place.

Pendant mes pauses, je passais dans les agences de recrutement déposer mon CV, et faisais aussi suivre en ligne à tous les cabinets de recrutement ayant une présence digitale. Je consultais également directement les pages de nombreuses entreprises afin d'éplucher les offres d'emploi et postuler. Je multipliais les demandes et les interviews, mais toujours rien de concret. Il y avait une entreprise en particulier qui m'intéressait : une multinationale américaine fournissant l'énergie électrique. Je ne voyais pas de directives en ligne pour postuler, mais j'avais entendu dire qu'elle recrutait régulièrement et offrait des contrats à durée indéterminée, des salaires alléchants ainsi que de nombreux avantages tels que des formations y compris à l'étranger, une couverture santé gratuite, l'accès gratuit à l'électricité et l'eau, etc. Ce serait vraiment une aubaine pour ma famille et moi, si je pouvais réussir à décrocher un emploi avec tous ces avantages ! Je commençais donc à me renseigner auprès des collègues et amis pour savoir si quelqu'un connaissait la procédure de recrutement. Eh bien, c'était sans compter sur la loi de l'attraction, puisqu'un beau jour mon téléphone sonna. Grande fut ma surprise et ma joie d'apprendre que la personne au bout du fil m'appelait de la société même dans laquelle je rêvais tant de travailler. Il me fallut des efforts surhumains pour contenir mes émotions.

Marc était un monsieur à la voix imposante et professionnelle, maniant la langue de Molière avec une assurance et une éloquence rare. Il se pressa de me poser des questions pour m'identifier, pour comprendre mon parcours académique et mon expérience professionnelle. C'était clair qu'il avait mon CV devant lui ; je me demandais bien comment il l'avait obtenu, mais je n'eus point le courage de lui poser la question. Il termina l'interview en m'avouant : j'avais demandé aux professionnels autour de moi de me proposer des candidats pour un poste de cadre junior, chargé de la communication interne. Celui qui m'a envoyé votre CV a tellement fait vos éloges que j'étais curieux de me faire ma propre idée et là, il faut dire que je suis somme toute très impressionné par vos aptitudes et votre parcours. Plus tard, dans mes échanges avec l'employé de Guinness dont j'avais fait la connaissance lors du séminaire de Limbé, j'appris que c'est lui qui avait proposé ma candidature. J'avais pourtant cru qu'il me demandait mon CV pour un poste chez Guinness, mais j'étais heureuse qu'il ait eu l'amabilité de le partager avec une autre entreprise et qui plus est, une que je priais d'intégrer.

La procédure de recrutement dura plus de six mois au cours desquels, je devais passer plusieurs phases d'interview dans différents départements. Le poste exigeait en réalité un diplôme de master, pourtant je venais à peine de terminer mon examen de License et les résultats n'étaient même pas encore prononcés. Mon parcours était riche en expérience sur le terrain, ce qui fait que toutes les personnes qui m'interviewaient finissaient par être d'accord qu'on pouvait m'exempter de cette exigence de diplôme de master. Je devais néanmoins leur apporter la preuve de mon obtention officielle de ma licence professionnelle.

Vint l'étape finale au cours de laquelle il fallait discuter de ma compensation salariale. L'interview se passait avec deux employés des ressources humaines ce jour-là. Ils conclurent unanimement que j'avais le profil parfait pour le poste, car ils avaient eu la sensation d'avoir une belle causerie enrichissante avec moi et n'avaient même pas ressenti que c'était une interview. À la question de savoir combien je souhaitais recevoir comme salaire : je me précipitai d'utiliser ma formule habituelle qui était celle de doubler mon salaire actuel craignant néanmoins que ce soit trop élevé. J'avais complètement perdu de vue le fait que cette fois-ci il s'agissait d'une multinationale. Je m'étais très bien préparée pour l'interview, mais je n'avais pas pris la peine de me renseigner sur les fourchettes salariales. Dès que je répondis à la question, ils se regardèrent, sourirent et me dirent : c'est bon, vous aurez exactement le salaire que vous souhaitez. Après avoir intégré l'entreprise, je me rendis compte que j'aurais pu en réalité demander le double de ce que ce j'avais exigé comme salaire et peut-être bien que je l'aurais obtenu. Bien que de courte durée, ce fut néanmoins une belle opportunité d'apprentissage auprès d'un patron et des collègues brillants et expérimentés.

Ma relation avec Robert avançait plutôt bien et nous envisagions une vie à deux. Nous étions désormais fiancés. Le mariage frappait donc à nouveau à ma porte. Et si l'on pensait mariage, il fallait obtenir officiellement le divorce de Pierre, résidant aux États-Unis qui avait d'ailleurs lui aussi refait sa vie et avait une fiancée. Mon fils était souffrant depuis un moment et après plusieurs essais pour le soigner sur place, je ne voyais aucun résultat probant. Il fallait donc trouver une solution pour l'emmener suivre un traitement à l'étranger. Bien que Pierre et moi soyons séparés, ma procédure d'immigration suivait apparemment son cours puisqu'un jour je fus convoquée à l'ambassade pour obtenir un visa immigrant. Je me disais que ce voyage me prendrait juste quelques semaines, le temps d'introduire ma procédure de divorce et de prendre des dispositions pour les soins médicaux de mon enfant. J'étais bien loin de m'imaginer la douleur et le bonheur qui m'attendaient de l'autre côté. J'avais néanmoins hâte de découvrir ce que le continent américain me réservait.

Mon histoire est belle et triste à la fois, voire des miracles sonores, mais au cœur de cette histoire, se trouve d'autres vérités juteuses, inconnues à dévoiler. La clé du mystère vous attend, non pas dans ce premier tome, mais dans le deuxième qui suivra, et il vous faudra être patients, juste le temps de digérer toutes ces émotions que vous venez de vivre avec moi.